2002 cosas para hacer en pareja

FANTÁSTICAS CITAS
ROMÁNTICAS A LA ANTIGUA

1. Pasear en coche de caballos por el parque, después de que ha oscurecido.

2. Darse un beso de buenas noches.

3. Descubrir un café en un lugar inesperado.

4. Rezar juntos.

5. Disfrutar de una caminata por la playa a la hora del crepúsculo.

6. Tener "su mesa" en su restaurante favorito.

7. Leer juntos una novela.

8. Colgar juntos los adornos de Navidad.

9. Pasarse notas de amor en la biblioteca.

10. Escaparse para nadar a la luz de la luna.

11. Ir a recoger frutas a un huerto y llevarlas a casa para preparar algo delicioso con ellas.

12. Flirtear solamente el uno con el otro.

13. Acomodarse muy juntos para escuchar a su cantante favorita.

14. Detenerse a comprarle flores a un vendedor callejero.

15. Disfrutar juntos una caja de chocolates.

16. Compartir un plato de sopa para combatir el frío.

17. Caminar tomados del brazo en una noche con niebla.

18. Elaborar una lista de sus canciones favoritas y grabarlas.

19. Relajarse con una copa de brandy junto a la chimenea.

20. Comportarse cariñosamente sin avergonzarse por ello.

21. Trabajar juntos en el jardín.

22. Irse al parque.

23. Darse un beso furtivo en un rincón del restaurante.

2002 cosas para hacer en pareja

Cyndi Haynes
Dale Edwards

Traducción
María Victoria Roa

GRUPO
EDITORIAL
norma

Barcelona, Bogotá, Buenos Aires, Caracas, Guatemala,
México, Miami, Panamá, Quito, San José, San Juan,
San Salvador, Santiago de Chile.

Edición original en inglés:
2002 THINGS TO DO ON A DATE
de Cyndi Haynes y Dale Edwards.
Una publicación de Adams Media Corporation
260 Center Street
Holbrook, MA 02343, U.S.A.
Copyright © 1992 por Cyndi Haynes y Dale Edwards

Impreso por Cargraphics S. A. — Imprelibros
Impreso en Colombia — Printed in Colombia

Marzo, 1998

Traducción y edición, Julieta Capuleto
Diseño de cubierta, Romeo Montesco
Viñeta, Giovanni Casanova

ISBN 958-04-4201-0

¡ECHEN UN VISTAZO!

24. Reserven puestos contiguos en el sofá el domingo, para ver la final de la Copa Libertadores.

25. Suban al mirador de un edificio alto para disfrutar del panorama.

26. Asistan a un torneo de esgrima.

27. Observen la Serie Mundial de Béisbol por televisión.

28. Asistan a la presentación de diapositivas del reciente viaje de cualquiera de sus padres.

29. Prueben su condición física jugando *jai-alai*.

30. Observen los botes deslizándose por un río en una tarde cálida.

31. Enamórense perdidamente uno del otro en un encuentro bajo el agua.

32. Celebren el primer aniversario dando una fiesta.

33. Reúnanse en un bar para ver el partido de fútbol del miércoles por la noche.

34. Inicien la "ola" en un partido de fútbol.

35. Corran y sigan por televisión el Grand Prix de Mónaco.

36. Jueguen dominó.

37. Ofrezcan una fiesta al inicio de la temporada futbolera y sirvan una ollada de chile con carne para echar a rodar la pelota.

RAZONES POR LAS CUALES A LA GENTE LE GUSTA INVITAR A SALIR A OTRA GENTE

Por la compañía.

Para conocer personas emocionantes.

Porque todos sus amigos lo hacen.

Porque el mundo parece estar diseñado para parejas.

Por amistad.

Para conseguir cónyuge.

Porque todos sus amigos están casados.

Porque es muy divertido.

38. Observen en TV la entrega de los premios Oscar.

39. Disfruten de un rato fan-tástico y fan-ático viendo jugar a su equipo favorito de baloncesto.

40. Si quieren tener dos minutos excitantes, observen una carrera hípica.

VENTANAS AL MUNDO

41. Hagan equipo para lavar y encerar el automóvil.

42. Inviten a amigos a un asado en el patio trasero.

43. Pónganse en forma y salgan a trotar juntos.

44. Siéntense afuera para disfrutar de una cena con frutos de mar en un restaurante de puerto.

45. Hagan señales de humo con una hoguera.

46. Olvídense del resto del mundo y

vayan a dar una placentera caminata por el bosque.

47. Aprendan a bucear para explorar el mundo submarino.

48. Sacúdanse el aburrimiento de los días fríos yendo a comprar plantas a un invernadero.

49. Visiten juntos un parque nacional.

50. Empiecen bien su día libre con un *picnic* al amanecer.

51. Den una vuelta juntos por un mercado de flores.

52. Intenten esquiar a campo traviesa.

53. Regálense una visita a un sitio turístico.

54. Disfruten de la calma de una pequeña aldea de pescadores.

55. Pasen una tarde soleada mirando por la ventana.

56. Escápense para dar un paseo en *jeep* por el desierto.

57. Compren y siembren plantas para el balcón.

58. Caminen sin rumbo por un jardín botánico.

59. Hagan descubrimientos en un planetario.

60. Prueben a ver pececitos y corales en el mar.

61. Asistan juntos a clases de acuarela.

62. Pasen un día entero observando ballenas.

63. Disfruten de la vista nocturna de su ciudad desde un mirador.

64. Inscríbanse en una clase de apreciación del arte.

65. Paseen por un museo.

66. Asistan juntos a un servicio religioso al amanecer.

67. Hagan un vitral para una ventana.

68. Exploren un centro naturista.

69. Planten algunos bulbos en su jardín.

70. Deambulen a lo largo de un arroyuelo.

71. Desarrollen su creatividad en una clase de fotografía.

72. Hagan un paseo en funicular.

73. Descubran todo un mundo nuevo en una reservación para animales salvajes.

74. Disfruten del esplendor de pasear entre el follaje.

EN LA CIUDAD

75. Salgan a cenar a todo dar en un restaurante cinco estrellas.

76. Piérdanse en los sonidos encantados de un concierto sinfónico.

77. Reúnanse con sus amigos para celebrar el comienzo de cada mes.

78. Celebren una ocasión especial con una botella de vino de una buena cosecha.

79. Disfruten de un musical de teatro.

80. Asistan a un servicio religioso en la catedral.

81. Vístanse con lo mejor que tengan para asistir a una recepción formal.

82. Paséense con la boca hecha agua por una tienda de lujo.

83. Contraten a un violinista para que amenice la cena.

84. Reúnanse para tomar el té en un gran hotel.

85. Cenen en el elegante vagón comedor de un tren.

86. Experimenten la magia de la ópera.

87. Vayan al cine.

88. Aprecien la gracia y la belleza del ballet.

89. Sientan la excitación de una noche de estreno en el teatro.

90. Envíense tarjetas formales para invitarse a salir.

91. Regálense una tarde de reyes en un partido de polo.

92. Codéense con gente importante en una cena de corbata negra.

93. Observen la actuación de los magos callejeros.

94. Pónganle sabor a la vida probando la cocina con picante.

95. Encuéntrense temprano en la mañana, para una caminata.

96. Disfruten un festival étnico.

97. Reúnanse con sus abuelos para pasar una noche de viernes con ellos.

98. Asistan a un concierto de beneficencia de una buena orquesta sinfónica.

99. Descálcense y disfruten una cena en un restaurante japonés.

100. Únanse a una marcha de protesta.

101. Reúnanse con sus padres para tomar un cóctel.

102. Actualícense en historia y visiten un monumento nacional.

103. Deténganse en una marina para disfrutar el panorama.

104. Coman juntos en un puesto callejero.

105. Experimenten el estimulante barullo del centro de la ciudad.

106. Vístanse como turistas y paseen por toda la ciudad pidiendo a extraños que les tomen fotos.

107. Coleccionen servilletas de cóctel de los lugares donde hayan estado juntos.

108. Para los que viven en el campo, vayan a pasar un día en la ciudad.

109. Celebren con los ganadores y lloren con los perdedores en una fiesta de fin de elecciones.

110. Prueben una comida étnica que ninguno de los dos haya saboreado antes.

111. Visiten la nueva exposición de un museo.

112. Recojan una cena-para-llevar y disfrútenla en su paraje favorito.

PARA LAS AVES NOCTURNAS

113. Observen las estrellas con un telescopio, unos bocaditos y una buena frazada.

114. Quédense despiertos para ver la película de medianoche.

115. Vayan de compras al mercado a las 3:00 a.m.

116. Prepárense juntos muy bien, para un examen.

117. Reúnase con ella después de una "noche de hombres solos".

118. Salgan a pescar juntos antes de que salga el sol.

119. Deténganse a desayunar temprano cuando dejen una fiesta.

120. Vayan a mirar vitrinas después de que las tiendas hayan cerrado.

121. Temprano en la mañana, visiten un restaurante abierto-toda-la-noche.

122. Esperen despiertos para saludar al Niño Dios.

123. Compartan un bocado de medianoche en un restaurante popular en la carretera.

124. Ofrezcan una fiesta-en-piyama a sus amigos.

125. Cuando uno de los dos no pueda dormir, pónganse a conversar.

126. Trasnochen juntos.

127. Merodeen por la noche en su vecindario.

128. Hagan cola juntos toda la noche, para comprar boletos para un concierto.

129. Consigan una brújula y salgan a buscar OVNIS en un auto convertible.

130. Disfruten de una romántica cena al aire libre, a la luz de la luna.

131. En la cama, por la noche, arrópense el uno al otro.

132. Para un cita prolongada, jueguen una partida completa de Monopolio.

DE CORAZÓN A CORAZÓN

133.   Elaboren juntos una lista de resoluciones para el Año Nuevo.

134.   Compartan una bebida batida usando dos pitillos.

135.   Celebren sus buenos tiempos (no los den por hechos).

136.   Abrácense a menudo.

Sean amables para ser amados.

—Ovidio

---

137.   Compartan sus pensamientos y sentimientos sobre la vida después de la muerte.

138.   Soliciten "su canción" en la radio.

139.   Bailen boleros.

140.   Ofrézcanse una serenata el uno al otro.

141.   Ayúdense a resolver un problema escribiendo juntos a la Doctora Corazón.

142. Susúrrense palabras de amor.

143. Léanse mutuamente poesía.

144. Compartan una breve versión de la historia de sus vidas.

145. Hagan una pausa para abrazarse en momentos difíciles.

146. Celebren el final de cada semana.

147. Cuéntense sus secretos.

148. Despiértense con un tierno beso.

CELEBRACIONES

149. Celebren juntos sus triunfos laborales.

150. Hagan nuevos amigos en una fiesta del vecindario.

151. Ofrezcan una fiesta de Navidad en julio.

152. Asistan a una reunión social en la iglesia.

153. Envíen juntos tarjetas de invitación para su próximo festín.

154. Acompañe a su pareja a una fiesta de la oficina.

155. Celebren el día de la Revolución Francesa con una buena copa de vino.

156. Ofrezcan una fiesta de despedida para sus amigos viajeros.

157. Tomen juntos lecciones de baile disco.

158. Hagan juntos un curso de servicio de bar.

159. Inicien un evento deportivo con una fiesta de pre-partido.

160. Apaguen sus velas de cumpleaños y pidan un deseo.

161. Reciban invitados en el garaje, con música folklórica.

162. Cuélense en una fiesta de gala.

163. Nunca se abandonen en medio de una fiesta.

164. Asistan a un baile de caridad.

165. Hagan planes futuros juntos al responder una invitación que pide RSVP.

166. Ofrezcan una festiva reunión por el cumpleaños de su personaje histórico favorito.

167. Asistan juntos a las comidas familiares.

168. Preparen manzanas acarameladas para regalar el Día de las Brujas.

JUNTOS Y SOLOS... AL FIN

169. Capten el gusto de un festival gastronómico.

170. Compartan el espíritu festivo en la fiesta de Navidad de su oficina.

171. Lean juntos las tiras cómicas en el periódico del domingo.

172. Vaguen juntos sin rumbo fijo, por carreteras secundarias.

173. Relájense en una bañera con agua caliente.

174. Compartan un emparedado de helado un día cálido.

175. Escápense para un viaje de un día.

176. Aprovechen un día de mucho viento para navegar veleros a escala en un lago.

177. Flirteen tocándose con los pies por debajo de la mesa.

178. Celebren su segundo aniversario con un desfile.

179. Vayan a una exposición equina.

180. Lean calladamente uno junto al otro en el sofá.

181. Sueñen despiertos juntos todo el día, mientras planean unas vacaciones imaginarias.

182. Visiten sitios de interés en una ciudad cercana.

183. Nada mejor que carne a la parrilla para una opípara cena en el patio trasero.

184. Den un paseo en transbordador.

185. Ríanse escuchando la grabación de una comedia.

186. Dejen su auto en casa y caminen hasta dondequiera que vayan.

FUERA DEL CAMINO TRILLADO

187. Tarta de frutas… hornéenla, cómansela y arrojen las sobras a la basura.

188. Cubran el piso con periódicos y hagan una obra de arte pintada con los dedos.

189. Vean un concurso de levantamiento de pesas.

190. Traten de aprender *jiu-jitsu*.

191. Escuchen un grupo de *rock* nacional, para variar.

192. Salten la cuerda juntos para mantener el estado físico.

193. Libren una amistosa guerra de almohadas.

194. Hagan el ridículo remedando a su celebridad favorita.

195. Celebren el martes 13 compartiendo sus supersticiones.

196. Hagan una comida junto a la chimenea.

ETIQUETA DE LA PRIMERA SALIDA

Vístanse de acuerdo con la ocasión.

Tengan consideración con las finanzas
de su pareja.

Muéstrense positivos y entusiastas.

No ingieran mucho licor.

Conserven su sentido del humor.

Recuerden que su pareja tiene sentimientos.

Planifiquen bien la salida.

No vayan a sitios de reunión de solteros.

Lleven vestimentas con las que se sientan
cómodos.

No vayan a ningún sitio demasiado
ruidoso, para hablar con tranquilidad.

Tengan en cuenta los intereses de su pareja.

Al despedirse, agradezcan la salida a la otra
persona.

---

197. Armen una comida completa con
muestras del supermercado.

198. Sintonicen su TV –e inscríbanse para
participar en un programa de concurso.

199. Tengan la osadía de visitar una clínica de acupuntura.

200. Visiten un zoológico.

201. Disparen un cañón el Día de la Independencia.

202. Echen a la suerte, con una moneda, lo que van a hacer en su cita.

203. Cuenten su mejor historia de Ovnis (invéntenla si fuera preciso).

204. Planeen arreglarse juntos las uñas.

205. Comparen discos u otro tipo de recordatorio de los años 70.

206. No se queden en casa todo el día; vayan a saltar obstáculos.

207. Reciban juntos lecciones de dulzaina.

208. Visiten una tienda de disfraces.

209. Cuídense de los hombres-lobos cuando haya luna llena.

210. Celebren el Día del Padre.

211. Armen juntos un rompecabezas.

212. Aprendan *Tae Kwon Do*.

213. Cenen en un restaurante de camioneros.

214. Conformen una Sociedad de Poetas Muertos.

215. En los canales, déjense llevar por un gondolero.

216. Alquilen su película extranjera favorita.

217. Hagan una broma el Día de los Inocentes.

218. Cuélense en una reunión familiar, coman y escapen.

219. Vayan a una compraventa en busca de gangas.

220. Vean lucha libre profesional en televisión.

221. Ofrezcan una fiesta de carreras de pececitos de colores.

222. Disfruten de su programa de televisión favorito.

223. Vuélvanse piratas y escondan un botín.

224. Organicen una carrera con sus perros.

225. Diviértanse con los juguetes de su mascota.

226. Báñense juntos.

227. Participen en un concurso de besos.

228. Vayan a ver a una bailarina árabe.

229. Tiñan sus camisetas blancas.

230. Organicen un encuentro competitivo de canicas.

231. Sean valientes y ensayen salto en esquí.

232. Para una salida económica, armen una comida con los entremeses sobrantes de una celebración.

233. Jueguen a la pelota.

234. Resuelvan juntos un cubo de Rubik.

235. Presencien una competencia de patinaje.

236. Disfruten el antiguo arte de los árboles *bonsai*.

237. Aprendan *Kung-Fu* como ejercicio y como arte de autodefensa.

238. Para una noche romántica, pretendan que están atrapados en una isla desierta.

239. Ofrezcan una cena de disfraces para dos.

240. Háganse notar en un baile de la asociación estudiantil.

PARA AMANTES DE LOS ANIMALES

241. En una exhibición canina, escojan su cachorro favorito.

242. Exploren la campiña a caballo.

243. Con un par de binoculares, pasen una tarde estupenda observando aves en el campo.

244. Traigan a casa una bolsita de sobrados, para su perro.

245. Presencien un evento ecuestre.

246. Visiten un almacén de mascotas y permitan que un cachorrito les robe el corazón.

Gasten más imaginación que dinero.

—Lyndon B. Johnson

247. Busquen un gatito gratis en los avisos clasificados y traigan a casa a un nuevo amigo.

248. Lleven a sus perros a caminar por el parque.

249. Presenten su pareja a sus mascotas.

250. Pásenle el pedazo de carne quemada al perro, cuando el cocinero no esté mirando.

251. Escojan juntos los ganadores de las carreras hípicas.

252. Den un paseo en burro por un sendero de montaña.

DESPUÉS DEL TRABAJO

253. Encuéntrense después del trabajo en un elegante bar del área financiera.

254. Quemen un tronco navideño en la chimenea durante las próximas fiestas.

255. Para pasar una noche tranquila fuera de casa, disfruten de una copa de vino y una buena charla.

256. No se pierdan ningún episodio de una miniserie de televisión.

257. Realicen una costosa, extravagante e inolvidable salida nocturna.

258. Cuando la ocasión exija corbata negra, acompañe a su pareja a comprar una faja divertida.

259. Váyanse juntos de parranda.

260. Ofrezcan una cena *buffet* para su gente favorita.

261. Ofrezcan una fiesta de casino.

262. Disfruten del animado ambiente mientras cenan en un club nocturno.

263. Relájense y conquístense mutuamente tomando unos tragos en un salón de tertulia.

264. Ofrezcan juntos un cóctel.

265. Para que su pareja se sienta como alguien especial, ordene usted la cena para los dos.

266. Preparen juntos una cena especial.

267. Confraternicen en una función de su obra de beneficencia favorita.

268. Celebren ofreciendo una cena de cumpleaños.

269. Intégrense a los demás comensales en una taberna cervecera.

270. Vayan a jugar bolos.

271. Prendan la chimenea y compartan los sucesos del día.

272. Disfruten la vista desde un bar giratorio.

CITAS EN CASA

273. Vayan de compras a una tienda de segunda mano para amoblar el apartamento de soltero de él.

274. Extiendan una frazada en el piso de la sala y tengan un *picnic* de puertas para adentro.

275. Quédense en casa y tengan una cita.

276. En un lindo día de sol, salgan a broncearse al jardín.

277. Pasen una tarde de domingo recorriendo un enorme almacén de muebles para la casa.

278. Preparen palomitas de maíz sin utilizar el horno microondas.

279. Construyan un castillo de naipes.

280. Asalten el refrigerador.

281. Construyan una casita de pájaros fuera de lo común y adopten algunos amigos plumíferos.

282. Ofrezcan una fiesta de "finalmente acabamos el…".

283. Ayúdense a aliviar las cargas de limpiar la casa.

284. Cierren las cortinas y jueguen con un viejo juego de mecanos.

285. Disfruten el encanto de una visita a una casa histórica.

286. Ofrezcan una fiesta de bienvenida para un compañero.

287. Construyan una casa en un árbol.

288. Si les gustan los sobrados, disfruten de una noche de cacerola en casa.

289. Vayan en busca de casa por las páginas de bienes raíces.

290. Prueben la firmeza de su mano haciendo bocetos.

291. Inviten a sus amigos a una fiesta de pintar la casa.

SI USTEDES MEJORAN, EL MUNDO MEJORA

292. Apoyen al candidato de su preferencia asistiendo a una gira política.

293. Dejen de fumar un día entero (y ofrézcanse apoyo moral para hacerlo).

294. Actualícense viendo juntos los noticieros locales y nacionales.

295. Resuelvan un problema jugando a representar roles.

296. Observen cómo trabaja su gobierno en una reunión del concejo municipal.

297. Dicten juntos una clase en la escuela dominical.

298. Pasen el día filosofando.

299. Enriquézcanse juntos en el servicio religioso del Jueves Santo.

300. Examinen los tesoros de un museo de su localidad.

301. Respondan un test de cociente intelectual.

302. Enséñenle gracias a su cachorro y llévenlo a una clase de adiestramiento.

303. Midan sus niveles de colesterol.

304. Colaboren ofreciéndose como voluntarios en una campaña radial para recaudar fondos para una obra de beneficencia.

305. Visiten la oficina local de su congresista.

306. Consulten con un asesor de imagen para perfeccionar la suya.

307. Conozcan los hechos sobre la prevención del SIDA.

308. En una cena tarde, critiquen juntos la obra de teatro o la película que acaban de ver.

309. Asómense al futuro asociándose a un club de inversiones.

310. Utilicen toda una la salida para dar gracias por todo lo que tienen.

311. Aprendan a ser oradores dinámicos en un encuentro de Maestros de Ceremonia.

312. Asistan a un seminario de bioalimentación.

313. Establezcan un plan de reciclaje de papel en sus trabajos.

314. Critiquen los más recientes éxitos de librería.

315. Visiten la alcaldía de su ciudad para descubrir algo diferente para hacer.

316. Manténganse actualizados asistiendo a una reunión política.

317. Asóciense como voluntarios para trabajar por la iglesia.

318. Donen sangre.

319. Rescaten a un perrito que se haya caído en una alberca.

320. Reciclen latas de bebidas vacías para conseguir dinero de bolsillo.

321. Apoyen a los bomberos voluntarios.

322. Trabajen en un proyecto para salvar a un animal que esté en la lista de especies en extinción.

323. Ayuden a los desposeídos trabajando como voluntarios en un asilo.

324. Compren boletas de una rifa para apoyar una buena causa.

325. Embellezcan su vecindario no permitiendo que la basura se riegue.

326. Lean 50 *Cosas Sencillas que Usted puede hacer para Salvar la Tierra*.

327. Trabajen en una obra de beneficencia y siéntanse bien ayudando a otros.

328. Ofrézcanse como voluntarios para colaborar con las Olimpiadas Especiales.

329. Ofrezcan un poco de su tiempo para ayudar a los ancianos de un asilo.

330. Apoyen un evento de la Sociedad de Mejoras Públicas.

331. Siembren árboles en el parque del barrio.

332. Organicen una bienvenida para los miembros de las fuerzas armadas que se encuentran cumpliendo con su deber en el extranjero.

333. Celebren la navidad en un hospicio para ancianos.

¿DÓNDE CONOCER MUJERES?

En una peluquería unisexo.

En un centro educativo.

En una feria artesanal.

En un café.

En una biblioteca.

En la iglesia.

En unas vacaciones.

En un curso de capacitación.

334. Vayan construyendo su propio lugar de retiro.

335. Ofrézcanse para hacer las compras de un anciano.

336. Reciclen periódicos juntos.

337. Enseñen a un niño a leer.

338. Celebren el Día de la Tierra mejorando su entorno.

PARA BAILAR TODA LA NOCHE

339. Enséñense mutuamente a bailar.

340. Cuando ya estén muy cansados para seguir, prueben a bailar con los dedos.

341. Empiecen por lo básico y aprendan un paso cada vez.

342. Para diversión y romance, vayan a un salón de baile.

343. Asistan a un baile en un club campestre.

344. Saquen a relucir sus discos viejos y bailen *twist*.

345. Pónganse al día con viejos amigos en un baile de regreso a casa.

346. Bailen los ritmos más rápidos en la discoteca de moda.

347. Para echarse una cana al aire, afíliense a un club de baile.

348. Demuestren su talento participando en un concurso de baile.

349. Traten de bailar tango.

350. Asistan a un recital de danza.

351. Bailen *fox-trot* la noche entera.

352. Vístanse formalmente para bailar toda la noche en casa, a la luz de las velas.

353. Inventen un nuevo baile.

PARA CONOCER A ALGUIEN NUEVO

No se rodee de tantos amigos que resulte difícil acercarse a usted.

Sonría, sea amistoso e inicie el contacto visual.

Ofrezca una reunión e invite a esa persona.

354. Vean la presentación de un bailarín de zapateo.

355. Vayan a bailar sevillanas.

SÓLO TENGO OJOS PARA TI

356. Celebren el Día del Amor y la Amistad.

357. Lean viejas postales y cartas que se hayan enviado mutuamente.

358. Ayuden a su pareja a escoger una nueva montura para sus anteojos.

359. Hablen de sus relaciones anteriores.

360. Modelen sus nuevos atuendos para que su pareja opine.

361. Escríbanse mutuamente poemas.

362. Bésense furtivamente cuando estén bajo una rama de muérdago.

363. Jueguen a las escondidas.

364. Despidan el año con una romántica cena de Año Nuevo para dos.

365. Acomódense bien para bailar con las mejillas juntas.

366. Asistan juntos a un desfile de modas.

367. Invítelo a un baile de beneficencia.

368. Déjense llevar mirándose a los ojos.

369. Compren anteojos de sol iguales.

SÓLO PARA LOS AMANTES
DE LA MÚSICA

370. Déjense embelesar por los sonidos de un concierto de violín.

371. Reciban juntos lecciones de guitarra.

372. A medianoche, cántenle a los viejos tiempos.

373. Para divertirse al estilo argentino, vayan a escuchar tangos.

374. Jueguen a adivinar el nombre de una tonada.

375. Canten en un concierto de música romántica.

376. Vayan de compras (o finjan hacerlo) para adquirir un equipo de sonido.

377. Para una noche muy reposada, escuchen música de cámara.

378. Vayan a un bar de música folclórica.

379. Pasen una noche escuchando sus diez álbumes musicales favoritos (la mitad de la diversión está en escogerlos).

380. Escuchen una estación de radio religiosa.

381. Discutan sus gustos y disgustos musicales.

382. Diviértanse haciendo la conexión de un nuevo equipo de sonido.

383. Háganle una prueba a un *disc-jockey,* para su fiesta.

384. Salgan a cantar bajo la lluvia.

385. Escapen a otro mundo con *Madame Butterfly.*

386. Canten a dúo.

387. Escuchen el sonido del mar en un caracol.

ÉXITOS DE FIN DE SEMANA

388. Ofrezcan una fiesta sin ningún motivo.

389. Participen en un torneo de *frisby*.

390. Pasen la mañana del sábado buscando ventas de garaje.

391. Reúnanse con otra pareja para pasar el día en un bote.

392. Hagan equipo para jugar en un torneo de tenis por parejas.

393. Enloquézcanse comiendo fresas con crema.

394. Vayan a nadar.

395. Vean completa la Teletón en favor de personas discapacitadas (y contribuyan con un aporte).

396. Exploren juntos una feria callejera.

397. Corran una aventura –busquen un restaurante nuevo en las Páginas Amarillas y visítenlo.

398. Jueguen bochas (juego de bolos al estilo italiano).

399. Ayúdense mutuamente a encontrar ese regalo perfecto.

400. Vean un partido de voleibol en el parque, el domingo por la tarde.

401. Ofrezcan una fiesta de playa, en casa, en la temporada de lluvia.

402. Pongan su mejor rostro impenetrable y jueguen naipes.

403. Olviden el estrés en un café tradicional.

404. Para su crecimiento espiritual, asistan a unos retiros religiosos.

405. Cuenten los automóviles que hay en la autopista cuando se sientan impacientes.

406. Vayan a pasear en automóvil y bésense en cada semáforo en rojo.

407. Trabajen un día en una hacienda turística.

408. Acompáñense a hacer mercado.

409. Para estimularse, tomen una clase de *Karate*.

410. Siéntense juntos en una banca del parque, para ver pasar el mundo.

411. Salgan de paseo al campo.

412. Hagan barra a sus amigos en un partido de fútbol.

413. Jueguen un partido de tenis.

414. Chapoteen en un parque de diversiones acuáticas.

415. Practiquen juntos aeróbicos.

416. Salgan a montar en bicicleta.

417. Vayan a matiné.

ERRORES COMUNES AL SALIR EN PAREJA

Esforzarse demasiado.

No llevar suficiente dinero en efectivo.

No planificar la salida.

Tener expectativas poco realistas.

Ser psicorrígido.

Dejar su sentido del humor en casa.

Tratar de provocar celos a un viejo amor.

Prolongar demasiado la salida.

ES MEJOR DAR QUE RECIBIR

418. Escojan juntos el nombre del perro.

419. Celebren el Día de la Madre llevando a ambas mamás a almorzar juntas.

420. Asistan a una subasta de objetos personales de una celebridad.

421. Compartan el último chocolate de la caja.

422. Bríndense mutuo apoyo en los momentos difíciles.

423. Curioseen por todo el centro comercial buscando un regalo para esos amigos que se van a casar.

424. Pasen la tarde de un sábado haciendo las compras de Navidad.

425. Vayan juntos a comprar ese regalo especial de cumpleaños.

426. Intercambien su ropa.

427. Únanse para ofrecer una fiesta sorpresa en honor de un amigo.

428. Diviértanse yendo a comprar juntos su regalo de aniversario.

429. Hagan una buena obra e inscríbanse como donantes de órganos.

430. Aúnen esfuerzos para idearse un regalo de grado muy original.

431. Regálense algo especial que disfrutarán juntos.

432. Ayúdense a encontrar ese regalo "perfecto" para el Día del Padre.

433. Contribuyan para comprar entre ambos el regalo para un amigo mutuo.

434. Ayúdense mutuamente a hacer una limpieza en sus armarios y escojan los objetos que van a donar a una obra de beneficencia.

DISFRÁCENSE

435. Personifiquen a Romeo y Julieta en una fiesta de disfraces de "parejas famosas".

436. Encuéntrense en un elegante piano bar para tomar un trago.

437. Reciban juntos lecciones de modelaje.

438. Vean una vieja comedia de enredos y ríanse de las vestimentas.

439. Compren camisetas que hagan juego.

440. Ayúdela a escoger un sombrero nuevo.

441. Prueben a comprar en una tienda de ropa antigua, para obtener esa apariencia especial.

442. Vístanse de vaqueros y vayan a un bar.

443. Intenten caminar con raquetas para andar sobre la nieve.

444. Vístanse igual un día.

445. Aconséjense mutuamente sobre la moda.

446. Tengan una noche de vagabundos –vistan *jeans* y camisetas y no gasten más de cinco pesos.

447. Ofrezcan una elegante fiesta de disfraces con refrescantes cocteles.

448. Conozcan las nuevas tendencias en un desfile de modas.

449. Compren pijamas iguales.

450. Asistan disfrazados a un almuerzo.

451. Compren algo divertido y estrafalario en un mercado de pulgas y úsenlo en su próxima salida juntos.

> *Las mujeres se enamoran por el oído*
> *y los hombres por los ojos.*
>
> —WOODROW WYATT.

CLÁSICOS DE SIEMPRE

452. Escuchen una estación de radio que transmita éxitos dorados.

453. Jueguen un juego de corazones –el único juego de naipes romántico.

454. Traten de mejorar su juego viendo el torneo de Wimblendon por televisión.

455. Tomen un trago en el bar de un barco de río.

456. En su tiempo libre, vayan a jugar bolos miniatura.

457. Visiten juntos al estilista para que les hagan nuevos "cortes".

458. Hagan canastas en baloncesto.

459. Descubran la ganga de su vida en un remate de libros.

460. Para una cita con mucha miel, intenten practicar la apicultura.

461. Visiten una parte de la ciudad adonde nunca hayan ido.

462 Cuando su pareja vuelva de un viaje, espérela en el aeropuerto con un letrero que diga: bienvenida a casa.

463. Para sentirse niños, decoren el patio de su casa con un espantapájaros.

464. Asistan a un recital de piano.

465. Pónganse en forma trabajando juntos con un vídeo de ejercicios.

466. Relájensen en compañía dentro de un *jacuzzi*.

467. Bailen boleros.

468. Tomen clases para aprender juntos otro idioma.

469. Duerman juntos una siesta.

470. Ensayen otra clase de besos –compartan una caja de besitos de chocolate.

471. Armen un barco dentro de una botella.

472. Vayan a desayunar con panqueques.

473. Participen en las festividades de una ceremonia de inauguración con corte de cinta y todo.

474. Por las mañanas, oigan el mismo programa radial.

475. Obtengan juntos sus certificados de salvavidas.

476. Regálense flores.

477. Lleve a su pareja de paseo en el manubrio de su bicicleta.

478. Capturen su paraje favorito en un lienzo, con sus propios óleos.

479. Busquen tesoros escondidos con un mapa antiguo.

480. Sean osados y tomen lecciones de buceo.

481. Disfruten del aire fresco en una fiesta en el jardín.

482. Cuéntense mutuamente los detalles desagradables de sus trabajos.

483. Llámense todos los días a desearse buenas noches.

484. Vean juntos una película de terror.

485. Apuesten a cuál de los dos crea la mejor obra de arte culinario en la barra de ensaladas de un restaurante.

486. Visiten en auto los lugares de interés de su ciudad.

487. Jueguen parqués.

488. Escapen a su caos diario jugando el juego del amor.

489. Tomen parte juntos en un grupo de discusión.

490. Cenen *crêpes* mientras observan el Abierto de Tenis de Francia.

491. Hagan campaña por su candidato favorito.

492. Vayan juntos a la iglesia.

493. Exploren los terrenos de una ciudad universitaria.

494. Observen un encuentro de gimnastas.

495. Hagan de payasos en un hospital infantil.

496. Disfruten de una buena comida en un restaurante francés.

CUANDO LA PANDILLA ESTÁ COMPLETA

497. Reúnanse con los amigos para ver un partido de fútbol.

498. Ofrezcan una fiesta de aniversario para sus padres.

499. Pasen la tarde jugando futbolín.

500. Soporten juntos una reunión familiar.

501. Inviten a sus amigos a jugar billar.

502. Ofrezcan un *brunch* el próximo sábado.

503. Recluten a sus camaradas para que les ayuden a apoyar su obra de beneficencia favorita.

PARA TENER ÉXITO EN EL JUEGO DE LAS CITAS

Responda rápidamente las llamadas telefónicas.

No juegue con los sentimientos de la otra persona.

Sea divertido.

Cumpla lo que promete.

Aprenda a ser buen anfitrión.

Exprésese correctamente.

Aprenda a sacar a flote lo mejor de los demás.

Vuélvase adicto a conocer gente.

No pierda el contacto con sus amigos.

Tenga amigos de ambos sexos.

Frecuente los lugares que visitan los solteros.

No sea un televidente impenitente.

Use buenas maneras.

Involúcrese en los asuntos de su comunidad.

504. Mézclense con el gentío en la fiesta de su universidad.

505. Ofrezcan un asado.

506. Compren un barril de cerveza y digan a sus amigos que caigan para una fiesta imprevista.

507. Lleven sus mascotas a un día de playa.

508. Hagan una donación para apoyar una buena causa.

509. Jueguen *bridge* en pareja.

510. Concursen todos en una caminata con zancos.

511. Evítense la decoración de su fiesta y alquilen un museo completo.

512. Preséntense juntos a la fiesta de un amigo.

513. Cuando su pandilla no quepa en la sala, haga una fiesta de garaje.

SI USTEDES NO SABEN TODO LO QUE HAY QUE SABER

514. Prepárense para su futuro enrolándose juntos en unas clases para aprender a invertir su dinero.

515. Participen en un grupo de estudio de la Biblia.

516. Busquen palabras raras en el diccionario y despístense mutuamente con definiciones de su propia cosecha.

517. Reciban juntos clases de idioma japonés.

518. Relájense en un seminario de manejo del estrés.

519. Reciban juntos un curso por correspondencia.

520. Mejoren su estado de ánimo escuchando juntos un casete de superación personal.

521. Aprendan a llevar la cuenta de los tantos en un juego de tenis.

522. Manténganse actualizados y tomen unas clases de computación.

523. Descubran más acerca de sí mismos en los resultados de una prueba de aptitudes.

524. Mándense hacer la carta astral.

525. Aprendan a pintar al óleo.

526. Lean el *Libro de Records Guinness* y asómbrense.

527. Tomen juntos un curso de ventas.

528. Inscríbanse en un curso de arte.

529. Matricúlense juntos en un seminario de la universidad.

530. Nunca se pierdan una buena exhibición de pintura.

531. Aprendan juntos cómo escribir y leer en alfabeto Braille.

532. Reciban clases de idioma alemán.

533. Tomen clases de astrología.

534. Intenten leer más rápido tomando un curso sobre esto.

EN EL TIEMPO DE ANTES, USTED PODÍA...

535. Pasar la tarde de un sábado haciendo helado casero.

536. Ir a la retreta en el parque.

537. Escuchar música clásica.

538. Cocinar juntos un pastel.

539. Aprender a bailar vals.

540. Refrescarse con limonada fresca.

541. Abrazarse en un pajar.

542. Cosechar frutas en su propia huerta y fabricar conservas.

543. Afiliarse a un club de danzas folclóricas.

544. Ver una película de cine mudo y, para variar, disfrutar de una buena charla en el cine.

545. Asar masmelos en la chimenea.

546. Lanzar herraduras.

547. Navegar río abajo en un barco de vapor.

548. Intentar tallar en madera.

549. Decorar juntos el salón de bailes del club local.

550. Preparar juntos mermelada casera para hacer un regalo especial.

551. Explorar un misterioso pueblo fantasma.

552. Escuchar música folclórica para aprender la tradición local.

553. Hacer pasteles de barro después de una tormenta.

554. Ver una carrera de bicicletas.

555. Contar chistes de loras.

556. Tener una cita con portaviandas.

557. Patinar.

558. Compartir la sombra bajo un roble en un día cálido.

559. Deambular por las calles hasta altas horas de la noche.

560. Hacer visita desde la ventana.

561. Tomar el té juntos.

562. Competir en juegos de naipes.

563. Acomodarse bien juntos durante un paseo en coche a casa de la abuelita.

564. Recitar versos juntos.

565. Disfrutar de una Coca-Cola en el porche de la casa.

566. Después de cine, detenerse a saborear un batido.

567. Asistir a una fiesta de quince años.

568. Ensartar crispetas para el árbol de Navidad.

569. Ofrecer un baile de contradanza a la antigua.

570. Turnarse en un columpio de llanta.

571. Ir a recoger fresas.

572. Gozar con el sonido de las campanas en Navidad.

PARA CORTEJAR EN FORMA

573. Preparen juntos una elaborada cena.

574. Contraten a un acordeonista para amenizar la cena.

575. Lean la obra poética de Pablo Neruda.

576. Impresione a su pareja ordenando la cena en otro idioma.

577. Piérdanse flotando en un globo de aire caliente.

578. Organicen un pic-nic a la antigua.

579. Saboreen vino caliente con canela junto a la chimenea.

580. Aspiren el aire puro de la noche, en el patio.

581. Consigan que un amigo les sirva de conductor por una noche.

582. Reserven un comedor privado para una cena para dos.

583. Celebren con champaña.

PERSONAS QUE PUEDEN PRESENTARLE SOLTEROS SIN COMPROMISO

Sus compañeros de trabajo.

Sus vecinos.

Sus amigos.

Sus hermanos.

Sus tíos y tías.

Sus amigos de universidad.

Sus amigos de colegio.

Sus primos.

Sus padres...

584. Pasen la noche degustando una cena de siete platos en un restaurante chino.

585. Disfruten de la magia de una cena a la luz de las velas.

586. Brinden por los dos, con el mejor vino.

587. Lean juntos un libro de etiqueta para mejorar sus modales.

588. Deléitense en el ambiente de un restaurante ruso.

ALTERNATIVAS PARA DEPORTISTAS

589. Vayan de pesca en aguas profundas para ver ballenas.

590. Para un día de ejercicio diferente, monten bicicleta en la montaña.

591. Experimenten la excitación de navegar los rápidos.

592. Visiten un establo (pero fíjense dónde pisan).

593. Madruguen para ir a comprar provisiones en una tienda de carnadas y aperos de pesca.

594. Anden a la caza de lisonjas.

595. Si están cansados de los altibajos de la vida diaria, prueben un descenso con cuerda doble, por el lado escarpado de un risco.

596. Reciban lecciones de equitación juntos.

597. Entrenen juntos.

598. Enseñen a su pareja cómo cazar patos en los pantanos.

599. Relájense flotando en un neumático.

600. Háganle barra al mismo equipo.

601. Salgan a escalar una montaña.

602. Troten juntos todos los días.

603. Curioseen en una tienda de artículos deportivos.

CITAS ENTRE ESCOLARES

604. Asistan juntos a su reunión de la escuela secundaria.

605. Ayuden a rotular participaciones de grado.

606. Hagan las tareas escolares juntos.

607. Ayúdense a preparar el proyecto final.

608. Para relajarse, vayan a una fiesta de fin de curso.

609. Visiten el patio de juegos de su antiguo colegio.

610. Tómense la lección el uno al otro.

611. Investiguen en varias universidades para decidir cuál es la que les conviene.

612. Celebren juntos el Día del Maestro.

613. Organicen un equipo para asear la escuela.

614. Compren juntos los textos escolares.

615. Curioseen juntos en una librería.

616. Tomen juntos un curso de orientación profesional.

617. Participen juntos en los juegos deportivos mixtos del colegio.

618. Participen en la celebración de una fiesta de grado universitario.

619. Vincúlense ocupándose de alguna tarea en la Asociación de Padres de Familia.

620. Conversen sobre su día en la escuela.

621. Descubran un paraje perdido para tener un *picnic* en los terrenos de la universidad.

622. Reciten juntos las tablas de multiplicar.

623. Vean juntos una obra de teatro de la escuela.

624. No se pierdan de asistir a un evento intercolegial.

625. Intercambien mensajes de amor entre clases.

PARA EMPEZAR A CONOCERSE

626. Descuelguen el teléfono y charlen sin interrupciones.

627. Compartan sus creencias personales.

628. Ofrézcanse un hombro para llorar.

629. Hagan un recorrido formal por su lugar de trabajo.

630. Conversen sobre los héroes y heroínas de su niñez.

631. Jueguen el juego del "qué pasaría si..." y cuídense de cómo contestan las preguntas.

632. Hagan borrón y cuenta nueva y empiecen otra vez.

633. Vean los vídeos de sus primeras comuniones.

634. Muéstrense sus colecciones y diarios personales.

635. Comparen los mensajes de sus galletitas de la fortuna.

636. Observen los álbumes de fotografías familiares.

637. Conózcanse mutuamente el carácter jugando ajedrez.

638. Hablen de sus pasatiempos favoritos.

639. Revelen su relato "más embarazoso".

640. Jueguen el juego de las 20 preguntas.

641. Compartan algunos de sus secretos.

642. Lean el libro *Si usted...* de Evelyn McFarlane y James Saywell..

NUESTROS PADRES ACOSTUMBRABAN ....

643. Dar un paseo los domingos por la tarde.

644. Jugar damas.

645. Jugar canasta con naipes nuevos cada vez.

646. ...Tirarse piedritas en la quebrada...

647. Celebrar el Carnaval.

648. Acompañarla a casa después de la escuela y cargarle los libros.

CÓMO SABER SI SU RELACIÓN ESTÁ DE CAPA CAÍDA

Ya no les ilusiona salir juntos.

Se aburren en sus salidas.

Se sienten sofocados.

Los amigos les dicen que
continúen con sus vidas.

Sienten que necesitan estar
más tiempo separados.

Una salida parece algo de nunca acabar.

Preferirían estar solos en casa
y no con su pareja.

Los pequeños detalles de la otra persona
empiezan a molestarle en gran medida.

---

649. Hacer caramelo para satisfacer su
     gusto por el dulce.

650. Jugar *croquet* en el prado de enfrente.

651. Contarse chistes verdes debajo de las
     cobijas.

652. Nunca acostarse de mal humor.

653. Bailar como locos toda la noche.

654. Vestir disfraces fabulosos para ir a una fiesta.

655. Jugar tejo.

656. Disfrutar de una cena con pollo frito después de ir a la iglesia.

657. Pasear por la avenida central de una feria.

658. Ordenar un solo batido para los dos.

659. Jugar dardos.

660. Hacer una guirnalda de papel para el árbol de Navidad.

661. Jugar escondidas.

662. Escuchar su propio eco en una cueva.

663. Bailar *rock'n'roll*.

664. Dar una vuelta en tranvía por la ciudad.

665. Disfrutar de una función doble de cine un domingo por la tarde.

666. Jugar dominó.

667. Romper su rutina usual para ver juntos un partido de fútbol.

668. Cruzar los dedos para anular una mentira.

669. Tener una cita para tomar café.

EL TIEMPO SIGUE SU MARCHA

670. Participen juntos en una maratón.

671. Visiten un lugar histórico.

672. Empiecen bien el año asistiendo a una fiesta de Año Nuevo.

673. Devuelvan esos libros vencidos a la biblioteca.

674. Estudien juntos la historia de su país.

675. Vagabundeen juntos por la playa.

676. Asistan a una representación de la Guerra de la Independencia.

677. Pongan juntos sus relojes.

678. Hagan planes para el futuro.

679. Hagan pereza juntos.

680. Visiten una ciudad colonial.

681. Mándense hacer una fotografía a la antigua.

682. Compren una antigüedad.

683. Celebren el día más corto del año: el 21 de diciembre.

684. Recuerden los viejos tiempos con sus padres.

685. Capturen días que no volverán en un parque histórico.

686. Hagan un minuto de silencio por la paz.

687. Aprendan a bailar *charleston*.

El amor no consiste en mirarse el uno al otro sino en mirar juntos en la misma dirección.

—ANTOINE DE SAINT-EXUPÉRY

LAS MEJORES COSAS DE LA VIDA SON GRATIS

688. Correr descalzos por el parque.

689. Ver cómo se apaga la última brasa en la chimenea.

690. Vagar por los cielos mirando las estrellas.

691. Caminar en una fuente con el agua a la rodilla.

692. Bailar en casa con la música del radio.

693. Ver a las futuras superestrellas en un partido de fútbol.

694. Bañar juntos a su perro.

695. Abrigarse bien y pasear de madrugada.

696. Apagar todas las luces y capturar el callado esplendor de un árbol de Navidad con todas las luces encendidas.

697. Probar a escribir en la arena.

698. Relajarse en el parque con el concierto del domingo por la tarde.

699. Orar juntos en una iglesita en el campo.

700. Cabalgar en la playa.

701. Patinar en el barro después de una tormenta.

702. Observar a la gente en un centro comercial.

703. Compartir un helado.

704. Broncearse en compañía.

705. Ver un atardecer.

706. Cantar juntos en el coro de la iglesia.

707. Pasar toda una tarde observando el paisaje.

708. Oír cantar a las ranas.

CUANTOS MÁS SEAN, MEJOR

709. Asistan al *picnic* de su oficina y presenten a su pareja.

710. En una noche fría, entren en calor con una cena picante.

711. Ofrezcan una fiesta con sus antiguos novios y novias, para que sus amigos solteros se conozcan.

712. Acompañen a su pareja a ese compromiso ineludible.

713. Participen de la diversión en la primera fiesta de cumpleaños de su sobrino.

714. Disfruten de una celebración de bodas de oro.

715. Ofrezcan una fiesta para catar vinos.

716. Si quieren una serenata de ladridos, ofrezcan una fiesta de cumpleaños para su perro.

717. Inviten a comer a sus vecinos.

718. Organicen un almuerzo familiar, por lo menos una vez por mes.

719. Jueguen charadas.

720. Preséntense mutuamente sus amigos de infancia.

721. Celebren el cumpleaños de un amigo.

722. Compartan la emoción de una fiesta de compromiso matrimonial.

723. Preséntense a la inauguración del hogar de un pariente.

724. Asistan a un evento multitudinario.

725. Caramba, ¿por qué no ofrecer una fiesta por el Día del Soltero?

LA ÉPOCA MÁS MARAVILLOSA
DEL AÑO

726. Pasen una tarde deliciosa decorando el árbol de Navidad.

727. Celebren juntos las vacaciones de fin de año.

728. Intégrense al espíritu de las fiestas y escuchen villancicos.

729. Experimenten el regocijo y felicidad de una cena de Navidad a la antigua.

730. En la época navideña, sueñen con regalos maravillosos bajo su árbol, mientras curiosean las vitrinas.

731. Echen a la suerte dónde pasarán la Navidad: ¿dónde sus padres o los de su pareja?

732. Compartan sus recuerdos de otras navidades.

733. Celebren la Nochevieja juntos, en casa.

734. Reúnanse con buenos amigos para organizar una fiesta de Navidad especial.

735. Vayan de compras a toda carrera el 24 de diciembre.

736. Disfruten de un almuerzo campestre el día de Navidad.

737. Quemen juntos su muñeco de Nochevieja.

738. Vean una película navideña para captar el espíritu de las fiestas.

739. Pasen una tarde comprando los adornos del árbol.

740. Escojan un árbol de Navidad y traten de que no sea uno natural.

741. El día de Año Nuevo, coman *choucrout* para la buena suerte.

742. Hagan una broma el Día de los Inocentes (el día más travieso del año).

743. Armen canastas de Navidad para los niños desamparados.

744. Compartan un trago bajo el árbol de Navidad.

745. Vayan a una exhibición de árboles de Navidad para sacar ideas para decorar el suyo.

746. Vean juntos las vitrinas de Navidad.

747. Armen juntos el pesebre.

748. Pasen un día juntos visitando a sus vecinos solitarios.

749. En Navidad vayan a ver el ballet *Suite de Cascanueces*.

750. Vistan atuendos formales para asistir a un baile de Año Nuevo.

751. Desarmen juntos su árbol de Navidad y diviértanse con la que podría haber sido una melancólica ocasión.

LLEGARON LAS OLAS

752. Háganse a la vela con una buena canasta con comida a bordo.

753. Llévense un limonada bien fría para saborear junto a la piscina.

754. Vayan a un restaurante de comida de mar y seleccionen ustedes mismos la langosta para su cena.

755. En un día caluroso, empuje a su pareja dentro de la piscina (y después corra).

COMPONENTES DE UNA BUENA RELACIÓN

Compromiso.

Consideración.

Cortesía.

Aprecio.

Sinceridad.

Afecto.

Ternura.

Intereses comunes.

Compatibilidad.

Dedicación.

Armonía.

Fe del uno en el otro.

Honestidad.

Lealtad.

Compasión.

Amistad.

Amor.

Sensibilidad.

Sentido del humor.

Comprensión.

Admiración.

Respeto.

Confianza.

Generosidad.

756. Experimenten la emoción de ir contra el viento en una lancha de carreras.

757. Sueñen con hacer un crucero algún día.

758. Bésense debajo del agua.

759. El día de Año Nuevo, váyanse a nadar a un río.

760. Busquen perlas dentro de las ostras.

761. Curioseen en una exhibición de botes.

762. Hagan *surf* sin tabla.

763. Cenen en un restaurante junto al mar.

764. Disfruten sobre la espuma de las olas.

765. Sol, arena, amigos, comida y bebida —ingredientes para una superfiesta en la playa.

766. Sostengan una batalla con globos de agua.

767. Conserven su frescura mientras se asolean en una piscina para niños.

768. Alquilen un bote para lanzarse a una aventura acuática.

769. Pasen la tarde en un campamento junto al río.

770. Descubran un paraje pintoresco en el lago y hagan un óleo.

771. Visiten la torre de un faro en una noche de neblina.

772. Vayan a explorar en un bote con fondo de vidrio.

773. En la piscina, echen una carrera.

774. Diviértanse en la piscina de su vecino.

775. Entreténganse con el espectáculo en un parque de diversiones acuáticas.

776. Reciban juntos lecciones de natación.

777. Acompáñense a comprar su vestido de baño.

SE NECESITAN DOS

778. Para un buen entrenamiento, jueguen un partido de *racquetball*.

779. Compartan un delicioso banana *split*.

780. Únanse para agasajar a sus amigos en casa.

781. Disfruten de todo un día remando en el lago.

782. Aprendan a jugar ajedrez.

783. Aun corriendo el riesgo de recibir uno en la cara, participen en un concurso de lanzamiento de huevos.

784. Compartan la lectura del periódico.

785. Simulen una entrevista de trabajo.

786. Téjanse una bufanda para los dos.

787. Entrénense para participar en una maratón de besos.

788. Jueguen a la Guerra de las Galaxias.

789. Jueguen a esconder sus efectos personales.

790. Jueguen a llevarse a cuestas.

791. Compartan un paraguas en una tormenta.

792. Jueguen ping-pong.

793. Eviten quemarse con el sol –aplíquense loción bronceadora uno al otro.

794. Jueguen a lanzar y atrapar bolas en el patio trasero.

795. Tomen fotografías el uno del otro.

796. Jueguen a las adivinanzas.

797. Enmarquen una fotografía de los dos.

798. Jueguen solitario doble (sin hacer trampa).

799. Disfruten de una tarde de *backgammon*.

800. No desperdicien los alimentos, compartan un plato de comida china.

801. Jueguen en el sube y baja del parque.

802. Para evitar los labios cuarteados, ensayen a besarse al estilo esquimal.

CUANDO SU PAREJA TRABAJA EN EL MISMO LUGAR

Conozcan las políticas de la compañía.

Sean discretos.

Prepárense para ser blanco
de los chismes de oficina.

Eviten el DAP
(Despliegue de Afecto en Público).

Analicen sus propios motivos
para salir con esa persona.

Piensen si su carrera sufriría en caso
de que la relación se terminara.

803. Disfruten de un desayuno para dos.

804. El uno al otro, aplíquense mascarillas faciales.

DE VUELTA A LA NATURALEZA

805. Exploren un camino desconocido por el bosque.

806. Lleven un asador al parque y preparen una comilona divertida.

807. Esquiven juntos las gotas de lluvia.

808. Pesquen en un río.

809. Pasen el día en una granja.

810. Ofrezcan una fiesta en el jardín.

811. Jueguen bajo un chubasco.

812. Den una vuelta por el bosque para recoger flores silvestres.

813. Asen salchichas en el balcón.

814. Disfruten de la callada belleza del amanecer.

815. Vean cuántas veces pueden hacer

rebotar una piedra que lancen al estanque.

816. Siembren el árbol para la Navidad del próximo año.

817. Persigan mariposas.

818. Rejuvenézcanse en una fuente termal.

819. Coleccionen piedras (recomendamos diamantes).

820. Adopten un árbol.

821. Si viven en la ciudad, pasen un día entero en el campo.

822. Visiten un parque nacional.

823. Escápense a dormir una siesta en la hamaca del jardín.

824. Reúnan piñas de pino para sus decoraciones de Navidad.

825. Disfruten del ejercicio y el aire puro en una caminata.

826. Desentierren lombrices para abonar el jardín.

827. Pasen una tarde recogiendo champiñones silvestres (si saben reconocerlos).

828. Vayan juntos como guías de un grupo juvenil en un paseo a las montañas.

HAY MAGIA EN EL AIRE

829. Agasaje a su pareja de una manera espectacular, contratando un avión que escriba una invitación en el cielo, con humo.

830. Cada 76 años, ofrezcan una fiesta del Cometa Halley.

831. Dejen atrás el ajetreo y el bullicio y déjense llevar por el viento en un planeador.

832. Concurran a una carrera de globos.

833. Tomen un trago de despedida en un club privado en el aeropuerto.

834. Asistan a una exhibición aérea.

835. Persigan juntos el arco iris.

836. Llenen una nevera portátil y lleven sillas plegables para observar un volcán en erupción.

837. Ármense de valor para saltar de un avión a hacer piruetas en el aire y abrir el paracaídas en el último momento posible.

838. Suban a una montaña y disfruten del panorama.

839. Atrapen rayos (de sol) en la azotea de un rascacielos.

840. Vayan a corretear palomas en la plaza.

841. Perfumen el ambiente y el ánimo quemando incienso.

842. Pídanle un deseo a una estrella fugaz.

843. Dejen vagar su imaginación mientras miran juntos las estrellas.

844. Suban y bajen varias veces en un ascensor panorámico.

845. Vayan al aeropuerto en la noche, para ver despegar aviones.

846. Participen en un concurso de volar cometas.

847. Agasajen a sus amigos con una fiesta en la azotea.

848. Hagan bombas de jabón.

849. Acuéstense en el prado y descifren las formas de las nubes.

850. Para no correr el riesgo de quedar ciegos, mantengan sus ojos cerrados y bésense durante un eclipse.

851. Asómbrense en un espectáculo de magia.

COMUNICACIÓN ES LA CLAVE

852. Asistan juntos a un seminario de escritura.

853. Tengan una cita por teléfono.

854. Hablen en un idioma extranjero todo un día.

855. Asistan a un grupo de oración.

856. Practiquen sombras chinescas juntos.

857. Faciliten pistas de lo que quieren para Navidad.

858. Lean libros que enseñen a mejorar la comunicación interpersonal.

859. Respondan un cuestionario de mejoramiento personal en una revista.

860. Sea buena gente y escuche a su pareja practicar un discurso.

861. Reciban juntos clases de lenguaje de manos.

862. Únanse para crear garabatos artísticos.

863. Comuníquense con buenos amigos por una radio de onda corta.

864. Cuando salgan de viaje, envíense postales.

865. Deslumbren a su pareja con su conocimiento sobre trivialidades.

866. Tomen una clase de caligrafía.

867. Enséñenle a hablar a un loro.

RINCÓN ÍNTIMO

868. Para entrar en calor en una noche de frío, cocoa caliente y una frazada.

869. Reúnanse siempre en el mismo sitio.

870. Compartan una perezosa tarde de domingo en el columpio del parque.

871. Lean juntos una novela de misterio, y resuélvanlo.

872. Construyan una casita de jengibre.

873. Hagan una pausa en un día atareado para tener un *picnic* privado en la oficina.

874. Saboreen un licor después de la cena.

875. Disfruten juntos de un rato de tranquilidad después de un largo y agitado día.

876. Decoren juntos su casa.

877. Tengan un rincón especial, sólo de los dos.

878. Pasen una mañana curioseando entre las revistas de un puesto de periódicos.

879. Abrácense al pie de una ventana, para ver llover.

880. Ofrezcan una cena íntima.

NORMAS DE SEGURIDAD
PARA LA PRIMERA SALIDA

Encuéntrense en un lugar neutral.

Siempre lleven su propio medio de
transporte.

Cuéntenle a un amigo dónde van a estar
y a qué hora regresarán.

881.   El refrigerio perfecto para una noche
       de insomnio: leche caliente y
       galletitas en forma de animales.

882.   Descubran una parte de sí mismos
       en una charla junto a la chimenea.

883.   Organicen una pausa para tomar café
       juntos, en el trabajo.

PAREJA QUE JUEGA UNIDA
PERMANECE UNIDA

884.   Formen parte de un equipo de
       voleibol.

885.   Jueguen golf con golpes suaves.

886. Sostengan una batalla con bolas de icopor.

887. Ejecuten sus mejores trucos con naipes, y después compartan el secreto de cómo los hacen.

888. Diríjanse a las laderas para esquiar sobre la hierba.

889. Compitan jugando *gin rummy* con naipes nuevos.

890. Aprendan a jugar *bridge*.

891. Sean copropietarios de un equipo deportivo imaginario.

892. Desafíense mutuamente en el Nintendo.

893. Jueguen en un equipo mixto de *softball*.

894. Refrésquense en un día caluroso, yendo a remar a un lago.

895. Construyan un fuerte con madera balsa.

896. Arriesguen su fortuna jugando póquer con fríjoles.

897. Aprendan a jugar *squash*.

*Los mejores regalos vienen atados con
cuerdas del corazón.*

—Anónimo

898. Prueben sus reflejos jugando balonmano.

899. Retocen bajo una caída de agua.

900. Integren un equipo mixto de bolos.

901. Jueguen a los dados para decidir quién pagará la cena.

DE QUÉ ESTÁN HECHOS LOS SUEÑOS

902. Elaboren juntos sus listas de regalos de Navidad.

903. Visiten una mansión histórica de su ciudad e imaginen cómo habrían sido sus vidas si hubieran transcurrido allí.

904. Asistan a una subasta de joyas antiguas.

905. Lancen monedas a una fuente y pidan un deseo.

906. Compartan la fantasía de lo que harían para gastar un millón de dólares en una semana.

907. Muéstrense sus trofeos y premios.

908. Deléitense con el catálogo navideño de una elegante tienda.

909. Vélense el sueño mutuamente.

910. Compartan los sueños de toda su vida.

911. Vístanse elegantemente y salgan a comprar algo que no pueden permitirse.

912. Unan sus capacidades para idear un plan fabuloso para hacer dinero.

913. Vayan a mirar vitrinas de tiendas lujosas.

914. Revisen los nuevos coches deportivos en una exhibición de autos.

915. Tomen una siesta en el regazo de su pareja.

916. Bríndense apoyo después de una pesadilla.

917. Elaboren una lista de lo que quieren para su cumpleaños.

918. Compartan las metas de sus carreras.

919. Decidan cómo van a gastar sus futuras ganancias de lotería (por si acaso).

920. Aprendan a lavar oro en un río.

921. Hagan una promesa para que sus sueños se vuelvan realidad.

PARA JÓVENES DE CORAZÓN

922. Salgan a caminar después de una lluvia de medianoche.

923. Ofrezcan una fiesta de cumpleaños no tradicional (de 16, de 21, de 30...).

924. Aventúrense juntos en el parque en una noche fría, con un termo de chocolate caliente.

925. Secuestre a su pareja del trabajo.

926. Aprendan a hacer esculturas de hielo.

927. Salgan otra vez a pedir dulces la Noche de Brujas.

928. Relájense en un crucero de un día.

929. Pasen un día holgazaneando despreocupados junto a la piscina.

930. Hagan el oso juntos en una cabina de fotografía y capturen el momento.

931. Horneen galletas con rifa incluida, para ver quién se gana el premio.

932. Ármense de coraje y ensayen a hacer algo totalmente extravagante y arriesgado.

933. Compren pasta e inventen una salsa.

934. Hagan morisquetas a los chimpancés en el zoológico.

935. Vayan a patinar un domingo por la mañana.

936. Visiten a un comerciante de revistas de historietas y asómbrense al ver lo que valen hoy en día sus viejas revistas de tiras cómicas.

937. Compartan una bolsa de gomitas dulces.

938. Vuelvan a ser niños y vean un clásico de Disney.

939. Hagan alarde de sus trucos de yo-yo.

940. Curioseen en una feria de juguetes antiguos.

941. Construyan una casa en un árbol para un amiguito.

942. Pasen una tarde entera en la plaza mayor de su ciudad.

943. Desafíense mutuamente a una rayuela en la acera.

944. Cuando vayan a un restaurante, pidan platos distintos y compártanlos.

945. Echen juntos un vistazo a los libros de su niñez, y sumérjanse en los recuerdos.

946. Diseñen la casa de sus sueños.

947. Visiten un zoológico sin jaulas.

948. Traten de conseguir que un bumerán les funcione.

949. Den un paseo en el tren infantil del parque.

950. Jueguen a adivinar profesiones con mímica.

951. Construyan una casa de muñecas completa, con piscina y todo.

952. Quédense despiertos hasta tarde para esperar al Niño Dios.

CUANDO OFREZCA UNA CENA EN CASA A SU PAREJA

Prepare algo que le permita estar con ella en lugar de pasar todo el tiempo en la cocina.

Arregle una mesa atractiva.

Limpie su casa con anticipación.

Deje un tiempo antes de la comida para tomar un trago y charlar.

Haga que su pareja se sienta cómoda en su casa.

Cocine algo con lo que haya tenido éxito en otras ocasiones.

Tenga un plan de contingencia, por si las cosas no resultan según lo planeado.

953. Regálele a su pareja ese juguete que siempre soñó tener.

954. Vayan a ver un circo.

955. Compitan en juegos de vídeo.

956. Vuelvan a divertirse en un parque de diversiones.

DIOS LOS CREA Y ELLOS SE JUNTAN

957. Inscríbanse en un club de ciclismo y disfruten paseando juntos por el campo.

958. Vayan a una tienda de mascotas y compren un canario.

959. Prueben los platos más picantes de un restaurante mexicano.

960. Vayan a bailar música de los años sesenta.

961. Contribuyan para una buena causa.

962. Jueguen *badmington*.

963. Involúcrense con la Asociación Protectora de Animales de su zona.

964. Únanse a sus compañeros creyentes en una ceremonia religiosa.

965. Sean buena gente y alimenten a las palomas.

966. Marchen en un desfile patriótico.

967. El día de elecciones, vayan juntos a votar.

968. Alquilen una casita en el campo, para escaparse los fines de semana.

969. Háganse socios de un club deportivo para hacer nuevas amistades.

970. Expresen lo que piensan tomando parte en una marcha de protesta.

971. Concurran a una convención de la Guerra de las Galaxias.

A VER EL ESPECTÁCULO

972. Vean dibujos animados el domingo en la mañana, y compartan una bolsa de rosquillas.

973. Hablen de sus espectáculos favoritos de televisión y hagan planes para asistir próximamente a alguno.

974. Preséntense juntos a una prueba para un pequeño papel en una película.

975. Disfruten del *Show de Don Francisco.*

976. Conozcan una estación de televisión local.

977. Asistan a una obra de teatro callejero.

978. Revisen los nuevos vídeos en su tienda preferida.

979. Pasen la tarde haciendo la conexión de su nuevo aparato de vídeo.

980. Hagan cola toda la mañana, para comprar boletas para el próximo concierto de salsa.

981. Quédense en casa el sábado por la noche para ver su programa favorito de televisión.

982. Por variar, asistan a un espectáculo de variedades.

983. Vayan a un coliseo para ver un espectáculo de patinaje sobre hielo.

984. Critiquen los nuevos programas de la temporada en televisión.

985. Vean la actuación de un mago callejero.

986. Asistan al estreno de una película.

987. Ríanse con el programa de humor del domingo en la noche.

988. Concurran a una exhibición canina.

989. Si quieren ver estrellas, vayan al planetario.

990. Sigan los juicios y aflicciones de la telenovela de moda.

991. Estudien para inscribirse a un concurso de la televisión.

992. Deténganse por un minuto para ver un espectáculo de marionetas en un centro comercial.

993. Pesquen un musical especial en televisión por cable.

994. Apresúrense a llegar a tiempo a casa para ver el noticiero de la noche.

995. Reúnanse con amigos para hacerle barra a su equipo, en un bar con pantalla gigante de televisión.

996. Distráiganse viendo cine en televisión.

997. Vean una obra de teatro de un solo acto.

998. Compren el disco con la banda musical de una película.

999. Quédense despiertos hasta tarde para ver la entrevista de su personaje favorito.

1000. Vayan a una función de danza contemporánea.

1001. Curioseen en una exhibición de artesanías.

1002. Escápense en la tarde temprano para ver la transmisión de un partido de fútbol.

HECHO COMPROBADO

Muchos hombres se sienten halagados cuando los invitan a salir.

1003. Vayan una tarde a visitar galerías.

1004. Vayan a comprar frutas y hortalizas en un mercado popular.

1005. Observen la grabación de un programa de televisión.

1006. Asistan a la temporada de ópera.

1007. Tómense tiempo para detenerse a escuchar a un músico callejero.

1008. Graben episodios de su programa radial favorito.

1009. Vean la entrega de los premios Oscar por televisión.

POR LA CIUDAD

1010. Vayan a ver apartamentos y casas para alquilar.

1011. Visiten regularmente los museos de su ciudad, para ver qué hay de nuevo.

1012. Vayan a misa a una iglesia colonial.

1013. Si tienen oportunidad, trabajen por su ciudad.

1014. Visiten un depósito de demoliciones en busca de puertas y ventanas antiguas.

1015. Tomen un taxi para dar una vuelta por su ciudad y mirar el panorama.

1016. Suban a un autobús y hagan el viaje redondo.

1017. Pongan una nota en dos globos para ver cuál de los dos llega más lejos (el perdedor paga el almuerzo cuando los resultados aterricen).

1018. Cuélense en la recepción de una boda.

1019. Vayan en busca de tesoros bibliográficos por las ventas de libros viejos de la ciudad.

1020. Disfruten de la intimidad de una taberna de esquina.

1021. Colaboren ayudando a algún amigo a empacar y mudarse a otro lugar.

1022. Compren a vendedores callejeros para aprovechar las gangas.

1023. Vayan a un restaurante especial para celebrar su aumento de sueldo.

1024. Disfruten de un paseo en un convertible, un hermoso día soleado.

1025. Organicen un mercado callejero de

frutas y verduras, y véndanle a sus vecinos.

1026. Vayan de compras al nuevo centro comercial de la ciudad.

1027. Cenen en un hotel.

1028. Disfruten de las luces de la ciudad por la noche, desde un rascacielos.

1029. Deléitense cenando en un café al aire libre en una noche estrellada.

¿EFECTIVO O TARJETA DE CRÉDITO?

1030. Compartan las cuentas de sus tarjetas de crédito.

1031. Revisen con cuidado el catálogo de una gran tienda de ropa, y compartan sus gustos y disgustos.

1032. Salgan a la caza de buenas compras en un centro comercial de puntos de venta de fábrica.

1033. Compren un adorno que simbolice "nuestra primera Navidad juntos".

1034. Cuando necesiten un obsequio muy original, vayan de compras a una tienda de curiosidades.

1035. Escarben entre la basura y los tesoros en un mercado de pulgas.

1036. Deambulen por un almacén de departamentos y antójense de cosas que nunca van a comprar.

1037. Echen un vistazo en una tienda que vende a beneficio de alguna obra de caridad.

1038. Participen en la emoción de cantar su oferta en una subasta.

1039. Cuando vayan al cine, uno paga las boletas, y el otro, las palomitas de maíz.

1040. Compren equipo para hacer ejercicios y pongan en forma su estado físico.

1041. Vayan juntos a gastarse su primer salario.

1042. Sueñen despiertos en una concesionaria de botes.

¿POR QUÉ NO?

1043. Olviden sus preocupaciones en un *jacuzzi* para dos.

1044. Disfrácense de oso y compartan un tarro de miel.

1045. Ofrezcan una fiesta de no-cumpleaños.

1046. Con los pies bien puestos sobre la tierra, experimenten la diversión de una buena embarrada.

1047. Aprendan a hacer malabarismos con manzanas y naranjas.

1048. Entierren su propia cápsula del tiempo con recuerdos de su relación.

1049. Empiecen una colección de monedas.

1050. Vayan a patinar al centro comercial.

1051. Participen en una subasta equina.

1052. Pinten juntos acuarelas.

1053. No solamente se quejen de su ciudad, escríbanle una carta al alcalde.

1054. Vuelen aviones a control remoto en una bonita tarde.

1055. Practiquen filosofía Zen para ver la vida de otra manera.

1056. Hagan palomitas de maíz y retiren la tapa antes de tiempo.

1057. Pasen el día recogiendo las palomitas que regaron.

1058. Prueben suerte y participen en un concurso (¿Cuál?, cualquiera).

1059. Consigan novia para su perro y saquen a pasear a la "parejita".

1060. Si tienen un amigo alcohólico, asistan con él a su primera reunión en A.A.

1061. Busquen cosas insólitas para hacer en el periódico de otra ciudad.

1062. Aprendan todo sobre los gatos en una exhibición gatuna.

1063. Hagan algo lo suficientemente tonto como para salir en el periódico.

1064. Empaquen sus regalos bromistas con la sección de tiras cómicas del periódico del domingo.

1065. Inventen algo.

1066. Entren en calor con café irlandés en una tarde fría.

1067. Agreguen nuevos ejemplares a su colección de estampillas.

1068. Prueben a preparar *fondue* de queso en una noche bien fría.

1069. Manténganse actualizados respecto a los eventos locales, asistiendo a un mitin público.

1070. Preparen emparedados para la cena del sábado.

1071. Control en mano, salten de un canal de televisión a otro.

1072. Hagan planes juntos para el futuro, comprando un título de capitalización.

1073. Pasen el día aplazando todo lo que está pendiente por hacer en casa.

1074. Hablen de sus temores.

1075. Aprendan danzas folclóricas.

1076. Súbanse a un árbol y pasen ahí toda la tarde.

1077. Vayan donde un fotógrafo profesional para que les haga un estudio.

1078. Conozcan los métodos para prevenir el SIDA.

1079. Pónganle sabor a la vida sembrando un jardín de hierbas.

1080. Aprendan a patinar sobre hielo.

1081. Pasen un fin de semana en un hotel.

1082. Manténganse en forma trotando diariamente.

1083. Observen una prueba de obediencia para perros.

1084. Escuchen música clásica.

1085. Celebren el Día de los Enamorados.

1086. Detengan un ascensor entre dos pisos y griten pidiendo ayuda.

1087. Cuando estén junto al mar, vean el atardecer en el muelle de la bahía.

1088. Compren autos de la misma marca y color.

1089. Vayan a un baño turco mixto.

1090. Para encontrar algo diferente que

1108. Confraternicen en una fiesta de la iglesia.

1109. Tomen juntos un curso de etiqueta.

1110. Lean juntos la página social del periódico.

1111. Ofrezcan entre los dos un desayuno de Año Nuevo a sus familias.

1112. Organicen una novena en su barrio.

1113. Compren un libro sobre cómo hacer fiestas en casa.

1114. Preste apoyo y soporte a su pareja en una cena de negocios.

1115. Apoyen un evento de alguna asociación juvenil.

1116. Salgan a cenar con sus respectivos padres.

1117. Presionen a sus amigos solteros en la recepción de una boda.

1118. Hagan juntos la lista de invitados a su boda.

1119. Asistan a una cena de cumpleaños familiar.

hacer, hojeen la guía turística de su ciudad.

1091. Hablen tres horas por teléfono.

1092. Ofrezcan una fiesta para ver la final de Copa Libertadores.

1093. Identifiquen constelaciones en una noche clara.

1094. Compren ejemplares de este libro para todos sus amigos.

IDEAS FABULOSAS PARA REGALOS PEQUEÑOS O INESPERADOS

Este libro.

La suscripción a una revista.

Cajas en forma de corazón.

Dulces.

Un postre especial.

Boletos para un evento.

Un disco compacto.

Animales de felpa.

Un anillo de plata.

Flores.

Una caja de música.
Fotografías suyas.
Besitos de chocolate.
Camisetas.
Un regalo marcado.
Mermelada casera.
Una novela.
Una colonia.
Globos.
Afiches.
Un artefacto novedoso.
Una lata de galletas.
Toallas playeras.
Brownies caseros.
Una bolsa de gimnasia con monograma.
Un marcador de libros.
Hortalizas cultivadas en casa.
Un regalo para la mascota.

1095. Sean buenas personas y escuchen la presentación de tesis de su pareja.

1096. Aprendan *origami*.

1097. Hagan galletitas con azúcar y mantequilla, y luego córtenlas con forma de corazón.

1098. Regresen a la naturaleza y escalen una montaña de helado.

1099. Váyanse volando (para esto es útil tener licencia de piloto).

1100. Visiten una exposición numismática.

1101. Caminen por toda la ciudad.

1102. Sean temerarios y caminen por el borde de un acantilado.

1103. En un día lluvioso, escápense a un invernadero.

VIDA SOCIAL

1104. Empiecen su fin de semana con un cóctel el viernes en la noche.

1105. Salgan con el padre de su pareja.

1106. Celebren el Día del Jefe ofreciendo una pequeña fiesta.

1107. Inviten a sus amigos a un desayuno.

PREPÁRENSE

1120. Armen una caja con productos para supervivencia en caso de terremoto.

1121. Aprendan a usar un extintor.

1122. Reciban clases de primeros auxilios.

1123. Empaquen su canasta de *picnic*.

1124. Haga los arreglos del caso para que canten el feliz cumpleaños a su pareja en el restaurante, después de la cena.

1125. Preparen juntos los entremeses antes de que lleguen sus invitados.

1126. Inscríbanse juntos en una clase de mecánica automotriz.

1127. Practiquen mutuamente su discurso de "Jefe, quiero un aumento".

1128. Revisen las baterías de su detector de humo.

1129. Estudien juntos.

1130. Lean los avisos clasificados del domingo, para planear un cambio de trabajo.

1131. Armen su botiquín de primeros auxilios.

1132. Asistan a un seminario de preparación para actuar en caso de incendio.

1133. Practiquen juntos cómo se cambia una llanta.

1134. Reciban juntos una clase de defensa personal.

1135. Aprendan RCP (resucitación cardiopulmonar) por si alguien se presenta con el corazón roto por un desamor.

VIEJAS FAVORITAS

1136. Saborear los breves momentos de un crepúsculo espectacular.

1137. Salir a caminar tomados del brazo.

1138. Conversar toda una tarde lluviosa en un café con grandes ventanales.

1139. Compartir sus sentimientos escribiendo juntos un poema de amor.

1140. Disfrutar de una hamburguesa a la luz de la luna, en la mesa de centro de la sala.

1141. Ver *Lo que el viento se llevó*, un clásico del cine y la literatura.

1142. Compartir vino de una bota (bolsa de cuero española para llevar el vino).

1143. Hacer juntos el álbum de *Amor es...*

1144. Empezar sus propias tradiciones.

1145. Hacer planes para sus futuras salidas juntos.

1146. Relajarse con una bebida con ron caliente, junto a un fuego crepitante.

1147. Dormir con los sonidos de una caída de agua.

1148. Permitirse el lujo de ordenar una cena servida a domicilio.

1149. Cuando se vaya la luz… prender velas.

1150. Para darse un beso clandestino en medio de una fiesta, escaparse a la terraza.

1151. Compartir un paraguas.

1152. Desconectarse del mundo y disfrutarse mutuamente.

1153. Leer, ver y llorar con *Love Story*.

HECHO COMPROBADO

No se puede juzgar un libro por la carátula.

ALGO NUEVO

1154. Si les encanta la ley, sigan un juicio de la vida real.

1155. Para una buena taquicardia, visiten una casa embrujada.

1156. Ofrezcan una fiesta de revés, a la que todo el mundo llegue con la ropa al revés, caminando de espaldas y hablando en jeringonza.

1157. Reúnanse para desayunar al salir del trabajo en la noche.

1158. Naveguen juntos por Internet.

1159. Deshojen rosas en lugar de margaritas.

1160. Alquilen una bicicleta de dos puestos para irse de turismo.

1161. Visiten un barco fondeado (pueden estar seguros de que no van a marearse).

1162. Pónganle color a la noche —cambien sus bombillas blancas por otras de colores.

1163. Pasen juntos una tarde de sábado, revisando los extractos bancarios.

1164. Envíense mensajes por correo electrónico.

1165. Visiten un fuerte.

1166. Descubran el mundo submarino en un acuario.

1167. Tomen juntos un curso por correspondencia.

1168. Vayan a ver una pelea de boxeo.

1169. Visiten una bodega de vinos.

1170. Aprendan lucha libre.

1171. Preparen un discurso político.

1172. Disfruten de una caminata por un muelle, al atardecer.

1173. Vayan a pasear en motocicleta por caminos de herradura.

1174. Para descubrir algo fuera de lo común, asómense a la tienda de un museo.

1175. Den un paseo por un mercado al aire libre.

1176. Ofrezcan una fiesta de leche con alfajores.

1177. Hagan mercado para toda la familia en una tienda mayorista.

1178. Para el Día de las Brujas, disfrácense de escobas.

1179. Si quieren sabor a México, salgan a tomar Margaritas.

1180. En su hora de almuerzo, reúnanse en un parque para disfrutar un emparedado.

1181. Miren la presentación de un malabarista.

1182. Tengan una mascota electrónica.

1183. Permítanse el placer de una comida *hibachi*.

1184. Si quieren pasar una tarde tranquila, jueguen damas.

1185. Pasen un fin de semana en un convento.

1186. Sean patrióticos y trabajen el día de elecciones como jurados de votación.

1187. Hagan compras por Internet.

1188. A ensayar, para participar en un concurso de canto.

1189. Asistan a una representación de *La Bohemia*.

1190. Deslícense por un tobogán acuático.

1191. Tonifíquense con hierro.

1192. Descubran una playa escondida y gocen de la vida lejos de la civilización.

1193. Para enternecerse, nada mejor que un bar de música *jazz*.

EL CAMINO AL CORAZÓN
PASA POR EL ESTÓMAGO

1194. Disfruten de una cena de medianoche a la luz de los faros de su automóvil.

1195. Compartan sus barras de dulce en el cine.

1196. Tengan una buena pelea en la cocina.

1197. Reciban juntos clases de cocina.

1198. Aprendan a preparar ese plato que tanto le gusta a su pareja.

1199. Seleccionen chuletas de primera en una carnicería, y vayan corriendo a casa a asarlas.

1200. Armen una comida con lo que venden las máquinas dispensadoras.

1201. Enumeren todas sus comidas favoritas.

1202. Consigan distintos tipos de nueces para las decoraciones de Navidad.

1203. Visiten una pastelería y ¡a darse gusto!

1204. Hagan una *pizza* casera.

1205. Recojan moras y úsenlas para cocinar un pastel.

1206. Preparen juntos *brownies,* luego cúbranlos con helado de vainilla, crema batida y nueces, y después acaben con todos.

1207. Inventen una *omelette* que sea una obra de arte.

1208. Dejen a un lado la dieta –para disfrutar de una comida fabulosa.

1209. Consiéntanse con *fondue* de chocolate, fruta fresca y champaña.

1210. Ofrezcan tamales al desayuno.

1211. Preparen juntos su receta favorita.

1212. Permítanse el lujo de comer una tarta de fresas con mucha crema.

1213. Devoren una caja de chocolates mientras ven televisión.

1214. Prueben las delicias en una feria de comida.

EN LUGAR DE ENVIAR
SIEMPRE ROSAS

Tulipanes.	Peonías.
Rosas de chocolate.	Flores de seda.
Iris.	Violetas.
Un rosal miniatura.	Una planta.
Ramilletes de flores frescas.	Margaritas.

EL MUNDO AL AIRE LIBRE

1215. Relájense mientras observan una competencia de veleros.

1216. Caminen por su vecindario para disfrutar de la iluminación navideña.

1217. Maravíllense con un espectáculo de *ballet* acuático.

1218. Continúen con la tradición de esconder huevos de Pascua de chocolate.

1219. Vean una obra teatral en un parque de la ciudad.

1220. Arrojen botellas con mensajes al mar.

1221. Siéntense junto a un río a disfrutar de la música del agua.

1222. Monten a caballo aunque no sepan hacerlo.

1223. Ordeñen una vaca.

1224. Disfruten de los rayos de sol mientras lanzan un *frisby* en el parque.

1225. Lávense uno al otro el cabello, en un aguacero.

1226. Construyan un fabuloso castillo de arena.

1227. Acurrúquense junto a una fogata en la playa.

1228. Busquen juntos un trébol de cuatro hojas.

1229. Pasen el día juntos en un bosque.

1230. Siéntense en la cima de una colina y sueñen despiertos con lo que serán sus vidas dentro de diez años.

1231. Duerman una siesta debajo de un árbol.

1232. Cuando los demás temas de conversación fallen, hablen del clima.

1233. Participen con sus amigos en una guerra de hojas secas.

1234. Sepúltense mutuamente bajo las hojas de los árboles.

1235. Regalen libros de ecología a la Biblioteca Municipal de su localidad.

1236. Observen los colores de un colibrí.

1237. Experimenten la emoción de montar en un neumático detrás de una lancha rápida.

1238. Traten de atrapar una mariposa para admirar sus alas.

1239. Recojan flores de su jardín.

1240. Vean un espectáculo de fuegos artificiales.

1241. Armen un concurso de girar troncos con los pies por un río, tratando de derribarse unos a otros.

1242. Escápense para tener un *picnic* en

medio del campo de fútbol en un
estadio vacío.

1243. Visiten un salto de agua.

JUEGUEN EN EQUIPO

1244. Preparen con tiempo sus formularios
de impuestos.

1245. Salgan a un viaje dominical en
canoa.

1246. Compartan sus notas de clase.

1247. Entrenen juntos un equipo de fútbol
femenino.

1248. Escojan las tarjetas de Navidad y
rotúlenlas.

1249. Hagan de *caddy* para su pareja en un
torneo de golf.

1250. Invéntense un aderezo para ensalada.

1251. Ayuden a decorar la oficina del otro.

1252. Vístanse iguales por un día.

1253. Mejoren su salud empezando juntos
una dieta baja en colesterol.

1254. Sirvan de taxi a su pareja mientras su auto está en el taller.

1255. Ayuden a lavar los platos.

1256. Si están cansados de correr por toda la ciudad, quédense en casa y duerman toda la tarde.

1257. Ofrézcanse como voluntarios para ayudar a la Cruz Roja durante un desastre.

1258. Escápense juntos por un día, después de avisar en la oficina que están enfermos.

1259. Diseñen un disfraz de pareja para el Día de las Brujas.

1260. Inviertan juntos en un fondo monetario.

1261. Ayúdense a preparar sus currículos.

1262. Hagan juntos una venta de cosas viejas y utilicen el producido para financiar una costosa salida nocturna por la ciudad.

1263. Pasen el día saltando con paracaídas.

1264. Vitoreen a su pareja desde la gradería.

1265. Ayúdelo a comprar ropa.

LUGARES QUE VISITAR
— COSAS QUE HACER

1266. Recorran una galería de arte.

1267. Disfruten de una cena casual en casa de un amigo.

1268. Para un día de aventura, váyanse en un yate.

1269. Visiten un viñedo y conozcan el proceso de fabricación del vino.

1270. Escojan un pueblo casi desconocido en el mapa y pasen el día explorándolo.

1271. Piérdanse en un laberinto.

1272. Vivan la experiencia de una fiesta española.

1273. Visiten el jardín botánico de su ciudad.

1274. Encuéntrense para un delicioso *brunch* dominical.

1275. Pisen uvas en un festival de la vendimia.

1276. Hagan una compra extravagante juntos.

1277. Cenen en un restaurante popular.

1278. Revivan su espíritu escolar en una reunión de ex alumnos.

1279. Dense el lujo de cosechar frutas.

1280. Vayan a caminar por el barrio más antiguo de la ciudad.

1281. Vayan a hacer una investigación a la biblioteca pública.

1282. Vayan juntos de compras, armados con sus tarjetas de crédito.

1283. Vayan a conocer las casas donde cada uno de ustedes nació.

1284. Asistan a una carrera automovilística.

1285. Acompañe a su pareja a la peluquería.

1286. Entren en calor mientras compran en una fábrica de tejidos de lana.

Hay una palabra que nos libera de toda la carga y el dolor de la vida: esa palabra es amor.

—SÓFOCLES

1287. Cenen en una parrillada.

1288. Visiten una fábrica de vidrio.

ECOS DEL PASADO

1289. Lean a Cervantes.

1290. Deléitense con el espectáculo de un mimo.

1291. Repasen los recuerdos de sus pasadas salidas juntos.

1292. Exploren una mina abandonada en busca de tesoros.

1293. Compartan recuerdos infantiles de la escuela.

1294. Vuelvan a bailar el *hula-hula*.

1295. Escuchen novelas de misterio en la radio.

1296. Exploren unas ruinas.

1297. Restauren juntos un auto antiguo.

1298. Lloren con la historia de *María*, de Jorge Isaacs.

1299. Disfruten del ambiente de un bar centenario.

1300. Vayan a buscar fósiles.

1301. Para una tarde romántica, lean juntos una antología de sonetos de amor.

1302. Pésense en una balanza que además diga la suerte.

1303. Si ya la vieron, repítanse la película *El cartero*. Si no la han visto vayan a verla.

1304. Inviten a sus madres a tomar el té una tarde.

1305. Visiten un campo de batalla histórico.

1306. Viajen en el tiempo hasta un banquete medieval.

1307. Apréndanse de memoria el "Poema 20", de Pablo Neruda.

1308. Traten de bailar polca.

1309. Escuchen juntos los boleros de Agustín Lara.

1310. Disfruten de un relajante paseo en tren.

1311. Participen en una excavación arqueológica.

1312. Ríanse juntos mirando las fotos de cuando eran bebés.

1313. Busquen en la biblioteca un libro de poemas de Pedro Salinas y léanlo.

1314. Vayan de turismo por la ciudad en un auto antiguo.

EN QUÉ CONSISTE EL ROMANCE

1315. En bailar toda la noche.

1316. En disfrutar juntos una larga caminata al atardecer.

1317. En atenuar las luces y escuchar a Pavarotti en concierto.

1318. En saludarse de beso cada vez que se encuentran.

1319. En descubrir el lenguaje del amor, recibiendo juntos clases de poesía.

1320. En descubrir "su" restaurante.

1321. En traerle flores y dulces a él.

1322. Y colonias para después de afeitarse y corbatas a ella.

1323. En fascinarse mutuamente.

1324. En ir a ver una épica historia de amor, en lugar de una película "de acción".

1325. En observar carreras de submarinos en una bañera.

1326. En bailar tango, el baile más sensual.

1327. En abandonar la fiesta temprano, de manera que ambos puedan pasar algún tiempo a solas.

1328. En celebrar su relación con una elegante cena, utilizando la vajilla y cristalería más finas.

1329. En sentarse bien arrellanados, y observar cómo la neblina va cubriendo el lago.

1330. En dar una tranquila caminata a la luz de la luna.

1331. En compartir una elegante cena a bordo de su yate (un bote de remos alquilado también sirve).

PROBADOS Y COMPROBADOS

1332. Quédense en casa y ordenen una buena *pizza*.

1333. Asistan a un concierto.

1334. Si necesitan un descanso, jueguen billar.

1335. Oigan a Silvio Rodríguez.

1336. Cuéntenle a su pareja cómo fue su día en el trabajo.

1337. Váyanse de turismo en una tarde de domingo.

1338. Escuchen a los Beatles.

1339. Vean una película (ésta es una muy buena primera salida).

1340. Compren en una tienda de departamentos.

1341. Disfruten cenando en un restaurante.

1342. Pasen el día en un centro comercial.

1343. Salgan a comer pasta.

1344. Vean *Casablanca,* un clásico del cine de todos los tiempos.

CON MIRAS A UNA MEJOR RELACIÓN

Mantengan abierta la comunicación.

Recuerden siempre tener tacto.

Elaboren una lista de áreas en las que pueden mejorar y trabajen juntos para lograrlo.

Establezcan un momento específico para discutir los problemas.

Recuerden que no siempre tienen que estar de acuerdo —pueden ponerse de acuerdo para discrepar.

Pasen algún tiempo separados.

Conserven a sus amigos.

Elaboren una lista de nuevas actividades para sus salidas.

Tengan otros intereses fuera del mutuo interés.

Confróntense uno al otro cuando surjan problemas, en lugar de dejarlos agravarse y crecer.

Sean siempre románticos y detallistas.

1345. Saquen tiempo de un día ocupado y encuéntrense para almorzar.

1346. Compartan todos su chistes.

1347. Preparen una comida casera.

1348. Sigan las ocurrencias de Mafalda y sus amigos.

1349. Intercambien regalos pequeños con frecuencia.

1350. Véanse o, por lo menos, hablen todos los días.

1351. Celebren el canto de los pájaros con un *picnic* en el parque.

1352. Ayude a su pareja a tomar decisiones cuando sale a comprar ropa.

CON UNA PEQUEÑA AYUDA DE LOS AMIGOS

1353. Desafíen a otras parejas a un torneo de historias de terror.

1354. Consigan que sus amigos les preparen y sirvan una cena romántica.

1355. Ofrezcan juntos una fiesta de cumpleaños para alguno de sus padres.

1356. Después del juego, encuéntrense con sus amigos para cenar.

1357. Para recortar gastos, ofrezcan una fiesta TSPT (traiga su propio trago).

1358. Salgan en grupo.

1359. Celebren el fin de clases.

1360. Organicen una cena donde cada invitado aporte un plato.

1361. Hagan de pacificadores entre otras parejas que tengan problemas.

1362. Contribuyan con su aporte a un evento en favor de la niñez desamparada.

1363. Disfruten de una "salida sorpresa" –para la cual un amigo haga todos los arreglos del caso.

1364. Vayan todos a acampar.

1365. Ofrezcan un té a las 5 en punto.

MÚSICA PARA MIS OÍDOS

1366. A darle cuerda a la victrola, para escuchar los discos de 78 revoluciones que eran de sus padres.

1367. Asistan a un concierto de *rock* con tapones para los oídos.

1368. Disfruten de la música andina.

1369. Compartan un *walkman* mientras dan una caminata por el parque.

1370. Entonen el Himno Nacional en un partido de fútbol.

1371. Escuchen una banda de pueblo.

1372. Vayan a cantar villancicos juntos.

1373. Escuchen juntos la radio.

1374. Seleccionen sus tonadas favoritas en un traganíquel.

1375. Relájense mientras escuchan cómo las olas revientan en la playa.

1376. Compartan un sofá viendo la entrega de los premios Grammy.

1377. Intercambien sus discos favoritos.

1378. Traten de cantar en falsete (pero no en público).

1379. Escuchen el concierto de un gran pianista.

1380. Para una noche de armonía perfecta, asistan al concierto de canciones de amor de un cuarteto famoso.

1381. Graben su propio disco.

1382. Canten juntos "Lucía", de Joan Manuel Serrat.

1383. Disfruten de la música salsa escuchando a un grupo de la región caribeña.

1384. Pidan sus canciones favoritas en un piano bar.

1385. Olviden sus problemas escuchando música de la "nueva era".

1386. Elijan "su" libro.

1387. Compartan una frazada mientras escuchan caer la lluvia sobre un tejado de zinc.

AMOR ES LO QUE HACE GIRAR AL MUNDO

1388. Disfruten de estar juntos una noche de luna llena.

1389. Compartan un paquete de dulces.

1390. Cenen en un restaurante giratorio y disfruten del panorama.

1391. Visítense el uno al otro cuando estén en el hospital.

1392. Lleven regalos a un asilo.

1393. Practiquen sus dotes casamenteras con sus amigos que no tienen pareja.

1394. Únanse a una lluvia de regalos para una pareja que se casa.

1395. Ayúdenle a su pareja a terminar ese trabajo urgente.

1396. Den una vuelta en un carrusel antiguo.

1397. Asistan a un baile de Día de los Enamorados con alguien especial.

1398. Visiten un molino de viento pintoresco.

LUGARES PARA CONOCER HOMBRES

Gimnasios de escuelas secundarias.

Clases de artes marciales.

Montando bicicleta.

Universidad.

Canchas de bolos.

Reuniones de trabajo.

Eventos deportivos.

Iglesia.

Bibliotecas.

Bares deportivos.

1399. Ofrézcanse como voluntarios para ayudar en un refugio de animales.

1400. Alegren el día de un niño visitando un orfanato.

1401. Abrácense y bésense.

1402. Hagan un esfuerzo conjunto para ayudar a levantar el ánimo a un amigo.

1403. Abrácense cuando vayan en una rueda de Chicago.

SI YA HAN ENSAYADO
LAS PRIMERAS 1403…

1404. Prueben la salida TCB –trago, cena y baile.

1405. Retocen en un campo de juegos durante su hora de almuerzo.

1406. Intercambien regalos el primer día del año.

1407. Escuchen a Plácido Domingo.

1408. Ofrezcan una cena dominical a sus amigos.

1409. Progresen recibiendo unas clases de baile.

1410. Sea buena gente y acompáñela a una exhibición de muñecas.

1411. Compongan una copla juntos.

1412. Disfruten de un desayuno con roscas antes de ir a la iglesia.

1413. Instalen un acuario en su apartamento.

1414. Intercambien medias y camisas.

1415. Vayan a un recital de poesía.

1416. Jueguen damas chinas una noche fría.

1417. Para una salida original, prueben a visitar una hostería del camino.

1418. Vivan la experiencia de cocinar en un *wok*.

1419. Repasen los avisos clasificados en busca de tesoros ocultos.

1420. Organicen una cena de varios platos.

1421. Vean una película del Oeste.

1422. Llamen a una teletón para indicar cuál será su colaboración y animen a otros amigos a hacerlo.

1423. Ofrezcan una fiesta dorada.

1424. Realicen su propio espectáculo de cámara escondida para captar a sus amigos desprevenidos.

1425. Hablen de sus libros favoritos.

1426. Mejoren su juego de tenis tomando lecciones juntos.

1427. Suscríbanse a una revista deportiva.

1428. Dispónganse a romper un récord Guinness.

1429. Pregúntele a su pareja qué le gustaría hacer este fin de semana.

1430. Celebren las nuevas relaciones de sus amigos.

1431. Una vez en la vida, pásense de copas juntos.

1432. Y si lo hacen, cuídense el uno al otro el malestar del día siguiente.

1433. Escuchen *El Barbero de Sevilla*.

1434. Alquilen una película para una romántica función privada para dos.

1435. Prueben cerveza importada.

1436. Vayan a explorar los alrededores de la ciudad.

1437. Vean los Juegos Olímpicos.

1438. Capten momentos especiales con una cámara instantánea.

1439. Celebren un jubileo.

1440. Intercambien tarjetas de presentación para impresionarse mutuamente con sus títulos.

1441. Empiecen juntos una colección de copas.

1442. Disfruten de un masaje en los pies.

SENTIRÁN QUE LA TIERRA SE MUEVE CUANDO...

1443. Vayan a una ceremonia de poner la primera piedra de un edificio.

1444. Asistan a una carrera de caballos.

1445. Se abracen durante un temblor.

1446. Se sumerjan en arenas movedizas.

1447. Realicen sendos clavados desde un trampolín.

1448. Empaquen el almuerzo y pasen el día conduciendo.

1449. Se unan a otros ciudadanos que se preocupan por el medio ambiente, en una fiesta del Día de la Tierra.

1450. Apaguen la luz y pasen una noche mirando una tormenta eléctrica.

1451. Presencien el lanzamiento de un cohete.

1452. Recojan uvas y luego vayan a pisarlas.

1453. Bailen rumba.

1454. Giren y giren hasta caer al suelo.

QUE DECIDA CUPIDO

1455. Envíense notas románticas el uno al otro.

1456. Escriban sus iniciales dentro de un corazón en cemento fresco.

1457. Bailen toda la noche muy amartelados.

1458. Compartan la misma copa.

1459. Celebren sus aniversarios de estar saliendo.

1460. Para una salida que dé justo en el blanco, ensayen tiro al arco.

1461. Vuelvan a enamorarse otra vez.

1462. Hagan un brindis por los dos.

1463. Mándense besos por el teléfono.

1464. Lleve una rosa de chocolate a su pareja.

1465. Vean una película de miedo tomados de la mano.

1466. Siéntense junto a un fuego crepitante e intercambien palabras de amor.

1467. Compartan una lata de galletitas en forma de estrella.

1468. Mientras estén en un centro comercial, sepárense durante quince minutos para comprarle al otro un regalo divertido.

ROMANCE DE ALTA TECNOLOGÍA

Déjense mensajes románticos en el contestador automático.

Graben un mensaje especial en vídeo.

Envíen una carta de amor vía fax.

Graben un casete con todas sus canciones favoritas.

Pongan en red sus computadores.

Graben un vídeo del tiempo que pasan juntos.

Charlen por Internet.

1469. Háblense al oído.

1470. Tengan una celebración especial del Día de los Enamorados, los dos solos.

TODOS TENEMOS QUE COMER ALGUNA VEZ

1471. Dejen afuera leche y galletitas para el Niño Dios.

1472. Prueben un bar de ostras.

1473. Organicen una fiesta con comida típica de su país.

1474. Preparen una comida vegetariana.

1475. Cuando sus planes de almuerzo fracasen, tengan listo su propio pollo frito.

1476. Vayan a hacer mercado juntos.

1477. Cenen en un pequeño restaurante del aeropuerto.

1478. Cuando cenen afuera, pidan platos exóticos.

1479. Coman hasta reventar en un asado.

1480. Regodéense con una fabulosa cena en un restaurante rodizio.

1481. Reciban juntos clases de preparación de cocteles.

1482. Deletreen un mensaje especial en su sopa de letras.

1483. Compren comida china cuando salgan del trabajo.

1484. Después de una maravillosa comida casera, salgan a comer helados.

1485. Cenen en un restaurante de comida de mar.

1486. Para variar, compren en una tienda de comida naturista.

1487. Deléitense en uno de esos lugares campestres donde ustedes mismos pescan su comida.

NO LO DESCARTE HASTA QUE LO HAYA PROBADO

1488. Prueben un bar *sushi*.

1489. Háganse un *pedicure* para dos.

1490. Aprendan a descolgarse con cuerdas.

1491. Celebren el Día del Amor y la Amistad.

1492. Exploren un mercado de comida oriental.

1493. Alquilen una carroza fúnebre para llegar como es debido a una fiesta de Drácula.

1494. Caminen por la playa con zapatos.

1495. Inventen un nuevo juego de cartas.

1496. Visiten una tienda de pasatiempos para descubrir un interés común.

1497. Coleccionen fósforos de todos los sitios que hayan visitado juntos.

1498. Mediten juntos.

1499. Relájense en un sauna.

1500. Peluquéense mutuamente.

1501. Jueguen veintiuna y el que pierda paga el almuerzo.

1502. Invéntense una cena preparada sólo con huevos.

1503. Jueguen a hipnotizarse mutuamente.

1504. Reúnanse para idear ese presupuesto que ya no espera.

1505. Sigan a un carro de bomberos.

1506. Coman con palillos chinos.

1507. Aprendan a hacer cerámica.

1508. Laven sus autos durante un aguacero.

1509. Empiecen el día con un desayuno sobre la hierba.

1510. Trabajen juntos un fin de semana.

1511. Hagan que Cervantes se sienta orgulloso, ofreciendo una fiesta quijotesca.

1512. Compartan el postre.

1513. Salgan a pasear con el jefe de su pareja.

1514. Diríjanse a altamar para pasar un día observando a los delfines.

1515. Vayan con cuidado cuando compartan sus puntos de vista sobre política.

1516. Infíltrense en una tienda de suministros para las fuerzas armadas.

1517. Cuando vayan a la playa, ensayen a montar en un *jet ski*.

1518. Intenten fabricar cerveza casera.

1519. Celebren el Día del Maestro con su profesor favorito.

1520. Encuéntrense para almorzar en una taberna, una tarde de sábado.

1521. Háganse un masaje facial el uno al otro.

1522. Cuando viajen, cómprenle siempre algo a su pareja.

1523. Realicen una obra maestra en un lienzo.

1524. Vayan juntos a que les perforen las orejas.

1525. Hagan un almuerzo en el fondo de una piscina vacía.

CONSEJOS PARA SUS SALIDAS

El que invita paga.

LO DE ANTAÑO

1526. Compartir un batido en una fuente de soda.

1527. Recoger conchas marinas en la playa.

1528. Almorzar en un restaurante estilo familiar.

1529. Jugar damas en una tienda campesina.

1530. Hacer medias de Navidad para preparar la llegada de Papá Noel.

1531. Ponerse overoles y asistir a un baile de granero.

1532. Relatar historias de fantasmas en una noche tormentosa.

1533. Hacerse visita en la peluquería.

1534. Alimentar los patos del parque.

1535. Ir a cabalgar.

1536. Ir a bailar pasodoble.

1537. Pasar una tarde lluviosa entre el heno.

1538. Ver una película muda.

1539. Patinar sobre ruedas.

1540. Armar un rompecabezas de 100 piezas en una noche.

1541. Asistir a una feria de libros.

1542. Participar en la diversión de un *picnic*.

1543. Jugar bingo juntos.

1544. Calentarse junto a una fogata en la playa.

1545. Hornear tortas para la merienda.

1546. Disfrutar del aroma mientras se hornea pan.

1547. Ofrecer una comida por el Día del Trabajo.

1548. Ensartar arándanos para adornar el árbol de Navidad.

1549. Llevar comida en el auto y asistir a un teato al aire libre.

1550. Visitar a la familia.

1551. Escuchar a Elvis Presley.

1552. Hilar algodón.

1553. Hornear galletitas para comer el Día de los Enamorados.

1554. Mirar la hora en un reloj solar.

1555. Recoger manzanas.

1556. Competir en un juego amistoso.

1557. Pasar la tarde comiendo en la barra y haciendo girar la silla.

1558. Llenar crucigramas.

1559. Compartir con el otro su algodón de azúcar.

1560. Comprar verduras frescas en el mercado de un granjero.

1561. Ganarse un pececillo de colores en una feria.

1562. Hacer un álbum de fotos.

1563. Celebrar la temporada navideña con una fiesta.

1564. Bailar al ritmo de una cajita de música.

1565. Ver un desfile militar.

1566. Bordar, mientras él lee una novela en voz alta.

1567. Intercambiar argollas.

> *El cortejo consiste en un número de*
> *tranquilas atenciones, que no son*
> *tan directas como para alarmar, ni tan*
> *vagas como para no ser entendidas.*
>
> —Sterne

1568. Tratar de hacer velas juntos.

1569. Ir a la iglesia.

1570. Compartir un melón frío en un día caluroso.

PARA TENER BUENOS RECUERDOS

1571. Jueguen a hacer maromas juntos.

1572. Hojeen su libro anual de la escuela secundaria y compartan sus recuerdos.

1573. Ofrezcan una fiesta de los años 20.

1574. Piérdanse a propósito y disfruten de la aventura.

1575. Cuéntense cómo se conocieron sus padres.

1576. Alquilen una cámara de vídeo para grabar los momentos importantes de su relación.

1577. Trabajen juntos en un cuarto oscuro y vean qué pasa.

1578. Visiten juntos su universidad.

1579. Empiecen juntos un álbum de recortes de sus personajes favoritos.

1580. Hagan que un artista callejero dibuje sus caricaturas.

1581. Compartan la emoción de su primer beso.

1582. Inventen su propio día festivo.

1583. Horneen juntos dulces delicias para regalar.

1584. Visiten a sus abuelos.

1585. Reúnanse para jugarle una elaborada broma a un amigo bonachón.

1586. Traten de ver el último rayo de sol y pidan un deseo.

1587. Disfrácense para que les tomen una foto.

1588. Deambulen juntos por su viejo vecindario.

PARA ENCONTRAR NUEVOS AMIGOS

1589. Encuéntrense con amigos en un bar.

1590. Almuercen en la cafetería de la universidad.

1591. Alquilen un costoso auto deportivo y pasen por las casas de sus amigos.

1592. Empiecen juntos una colección de estampillas y únanse al club de filatelia.

1593. Reúnanse con sus viejos compañeros de colegio.

1594. Vayan siempre al mismo restaurante.

1595. Hagan citas dobles.

1596. Practiquen un deporte.

1597. Escríbanle a su celebridad favorita.

1598. Ofrezcan una fiesta de quesos y vinos.

1599. Vayan a un campamento de vacaciones.

1600. Encuéntrense con sus compañeros de trabajo para tomarse un trago.

1601. Intercambien parejas con sus amigos.

ARGUMENTOS CONTRA LOS BARES DE SOLTEROS

Con frecuencia resultan demasiado ruidosos para charlar.

Abunda la mentira.

Muchos van en busca de una salida de una sola noche.

No todo el mundo es soltero.

Pueden ser costosos.

Mucho juego con las personas.

Gente "plástica".

Pueden resultar deprimentes.

Y en lo emocional, devastadores si se frecuentan a menudo.

ÉXITOS COMPROBADOS

1602. Salgan a medianoche a buscar comida.

1603. Conversen con sus viejos amigos y hagan otros nuevos en una fiesta.

1604. Inviten a su pareja a saborear su comida favorita.

1605. Conmemoren juntos el Día de los Muertos llevando flores a las tumbas de sus seres queridos y compartiendo recuerdos cariñosos.

1606. Reaccionen al ritmo y escuchen *bossa nova*.

1607. Disfruten de una romántica caminata por la playa, al amanecer.

1608. Vuélvanse adictos al chocolate.

1609. Graben sus nombres en un árbol.

1610. Participen en la excitación de un partido de fútbol profesional.

1611. Ensayen una salida básica –vayan a comer *pizza* y a tomar cerveza.

1612. Celebren un día festivo cualquiera.

1613. Vayan a una fiesta de campeonato.

1614. Compartan un batido de fresa.

1615. Pierdan el tiempo todo un día juntos.

1616. Lean a Garfield.

1617. Compartan sus postres.

1618. Ofrezcan una fiesta de gala.

1619. Salgan a cenar.

1620. Ofrezcan una fiesta de cumpleaños a sus sobrinos.

1621. Traten de ganar un premio en una feria.

1622. Graben un vídeo de su pareja practicando deportes.

1623. Compartan galletitas y leche después de un día muy largo.

1624. Discutan los sucesos de actualidad.

1625. Vean una exposición (de cualquier cosa).

1626. Celebren el Día del Trabajo descansando.

1627. Salgan juntos de paseo.

1628. Entre los dos preparen un bocado.

1629. Pasen el día en un parque de atracciones.

1630. Visiten un museo.

1631. Participen del alboroto de un desfile con confeti.

1632. Vean televisión juntos.

1633. Compartan sus mejores historias de viajes.

1634. Disfruten lentamente de una comida en un restaurante de comidas rápidas.

1635. Para reír toda una noche, vean su programa humorístico favorito.

1636. Ensayen a bailar *break*.

1637. Horneen un pavo.

1638. Celebren el Día de la Independencia colocando banderas en todas partes.

1639. Compartan gastos en una salida.

1640. Vayan a una discoteca.

1641. Preparen chile con carne en una noche bien fría.

1642. Diviértanse en un parque infantil.

1643. Inviten a sus amigos para que vengan a pasar una noche tranquila.

1644. Relájense en la playa.

1645. Invítense a un cono gigante de helado.

1646. Vean un partido de tenis profesional.

1647. Preparen tacos para sus cuates.

1648. Intercambien zapatos por un día (si calzan el mismo número).

1649. Alquilen la película musical "Mi bella dama" y apréndanse las canciones.

1650. Celebren el Año Nuevo en un hotel.

APRENDER PUEDE RESULTAR DIVERTIDO

1651. Pasen una tarde tranquila juntos en la biblioteca.

1652. Estudien juntos cómo hacer una carta astral.

1653. Tomen juntos una clase de mecanografía.

1654. Compartan su experiencia y capacítense mutuamente.

1655. Sobre una frazada, estudien en el piso.

1656. Enséñense mutuamente los detalles complicados de su deporte favorito.

1657. Conózcanse a sí mismos yendo a un analista dactilográfico.

1658. Para conocer los hechos precisos, lean juntos el *Almanaque Mundial*.

1659. Construyan un avión con un *kit* de aeromodelismo.

1660. Tomen lecciones de golf.

1661. Preséntense como voluntarios para enseñar civismo en una escuela pública.

1662. Deslúmbrense mutuamente con sus conocimientos mientras juegan a "Yo sé quién sabe lo que usted no sabe".

1663. Enseñen nuevos trucos a su viejo perro.

1664. Tomen clases de piano a cuatro manos.

1665. Ayúdense mutuamente a conocer distintos programas de computador.

CUANDO SALEN DE COMPRAS

1666. Compren adornos a mitad de precio el día antes de Navidad.

1667. La forma perezosa de comprar –naveguen por Internet.

1668. Recorran la tienda de vídeo para alquilar una película.

1669. Vayan a ver qué encuentran en una realización de libros.

1670. Salgan a buscar apartamento.

1671. Vayan a un bazar de la iglesia en busca de cosas deliciosas.

1672. Únanse para regatear por el mejor precio con un vendedor callejero.

1673. Si alguno de los dos aún no se decide, sean pacientes.

1674. Compren un curso de ruso en casete.

1675. Vayan a una tienda de mascotas y compren algunos juguetes originales para la de ustedes.

1676. Repasen un catálogo de compra de libros por correspondencia.

1677. En lugar de aguantar el gentío del centro comercial, quédense en casa y compren por teléfono.

1678. Ayúdela a escoger el perfume para ella.

1679. Ayúdelo a escoger la colonia para él.

1680. Coman algo en la plazoleta de comidas del centro comercial y recobren el aliento.

1681. Recorten cupones en el periódico del domingo para ahorros en sus próximas compras.

1682. Compren relojes de pulso iguales.

1683. Vayan a curiosear menús en distintos restaurantes.

ENCANTADO DE CONOCERTE

1684. Presente su pareja a su mejor amigo.

1685. Coleccionen autógrafos juntos.

1686. Encuéntrense con un hermano para tomar un cóctel.

1687. Cuéntenle a Papá Noel qué quieren de Navidad.

1688. Vean a un imitador.

1689. Relaten historias familiares chistosas.

1690. Visiten un museo de cera.

1691. Conozca a las compañeras de ella.

1692. Conozca a los compañeros de él.

1693. Cuéntense anécdotas de sus compañeros de trabajo.

1694. Preséntenle su jefe a su pareja.

1695. Echen una ojeada a su anuario de la universidad.

1696. Investiguen sus árboles genealógicos para descubrir algún título de nobleza.

1697. Hagan que su pareja conozca a su mascota.

1698. Preséntenle su pareja a sus padres.

1699. Escriban la historia de su pareja.

1700. Vaya tras bambalinas después de un concierto de su pareja.

CELEBREN

1701. Intercambien pequeños obsequios lo más seguido posible.

1702. Participen en la alegría de una lluvia de regalos para el bebé de unos amigos.

1703. Conmemoren el día de su héroe nacional.

1704. Conviertan el Día de la Independencia en un evento de gala.

1705. Asistan a los servicios de Cuaresma.

1706. Vayan a la fiesta de fin de año de sus respectivos trabajos.

RAZONES PARA INVITAR

Es muy divertido.

Uno obtiene una invitación recíproca.

Podría revivir un viejo amor o despertar otro nuevo.

Es una bonita manera de agradecer una noche especial.

A las personas les gusta que las inviten.

Es una manera de impresionar a su pareja.

Facilita una atmósfera tranquila para conocer mejor a la otra persona.

Es una buena manera de conocer gente.

1707. Repartan cigarros después de que su perra o su gata haya tenido cría.

1708. Reúnanse con viejos amigos a los que no ven hace tiempo.

1709. Celebren el Carnaval vistiendo divertidos disfraces e invitando a sus amigos para una comida típica.

1710. Disfruten de una luna llena.

1711. Pasen el día más largo del año haciendo inventario de su relación.

1712. Celebren la novena del Niño Dios.

1713. Salgan a cenar para celebrar un aniversario.

1714. Demuestren su orgullo patrio izando la bandera.

1715. Retocen en el primer aguacero del año.

1716. Hagan un brindis por los irlandeses, con cerveza verde.

¿LES GUSTA…?

1717. Resolver juntos el crucigrama del domingo.

1718. Visitar a un masajista para distensionarse.

1719. Compartir un helado con ensalada de frutas.

1720. Mirar los botes en un río.

1721. Hacer ejercicio juntos para deshacerse de unas cuantas libras.

1722. Disfrutar de un capuchino y conversar.

1723. Ensayar a bailar merengue.

1724. Jugar bolos todo el día.

1725. Preparar un daiquirí de fresa.

1726. Crear una obra de arte con una caja para pintar-según-los-números.

1727. Dorarse al sol.

1728. Relajarse juntos.

1729. Ser valientes y probar a comer ostras en su concha.

1730. Tener una aventura en un avión.

1731. Realizar una gira a pie por su ciudad.

1732. Escuchar algo de música *rap*.

1733. Ponerle picante a su noche cenando en un restaurante hindú.

1734. Trabajar juntos en una obra de arte.

1735. Explorar una feria de decoración.

1736. Reunirse con amigos para jugar cartas.

1737. Crear su propia mezcla especial de té con especias.

1738. Atar los cordones de sus zapatillas y jugar un partido de basquetbol .

1739. Alquilar bicicletas con motor por un día.

1740. Descubrir el encanto de la música *reggae*.

1741. Visitar un huerto.

1742. Asistir a un banquete de premiación.

EN EL MUNDO DEL ESPECTÁCULO

1743. Vean una película de Agatha Christie y traten de resolver el caso.

1744. Combinen sus habilidades y participen en un programa de concurso.

1745. Después de que oscurezca, vean salir las estrellas... de una fiesta en la televisión.

1746. Contrátense como extras en una película.

1747. Vayan a la caza de autógrafos durante una filmación.

1748. Inscriban a su amigo cuadrúpedo en una exhibición canina.

1749. Tomen clases de teatro clásico.

1750. Hojeen la Guía de películas y vídeos por Televisión para escoger algo bueno que ver.

1751. Arriésguense y traten de hacer teatro experimental.

1752. Observen el espectáculo de un paracaidista.

1753. Descubran un estreno no informado al público.

Hombre de poco coraje jamás conquistará hermosa dama.

—CERVANTES

1754. Cuando no puedan llegar hasta Broadway, vayan a ver una obra en un teatro local.

1755. Hagan una lista de las cinco mejores películas de todos los tiempos (a su gusto).

1756. Después del espectáculo, ofrezcan una fiesta.

1757. Vayan a cine todas las semanas.

1758. Hagan su propia crítica de la obra mientras llegan a su casa después de la función.

1759. Atrévanse a actuar en un Club de Karaoke.

SI VIAJAN A...

NUEVA YORK

1760. Capturen el sabor de la ciudad comiendo perros calientes en un puesto callejero.

1761. Expandan sus horizontes desde el último piso del World Trade Center.

1762. Prueben los sabores y sonidos de la Pequeña Italia.

1763. Visiten los grandes almacenes Bloomingdale's.

PARÍS

1764. Visiten el Arco de Triunfo.

1765. Exalten sus espíritus subiendo a la Torre Eiffel.

1766. Visiten Versalles.

1767. Paseen por los Campos Elíseos.

1768. Pasen una tarde encantadora en el museo del Louvre.

Buenos Aires

1769. Disfruten de la belleza de los bosques de Palermo.

1770. Coman carne de exportación en los carritos de la Costanera.

1771. Bailen tango en la Recoleta.

1772. Pasen un día en el Tigre.

1773. Vean jugar a Boca Juniors en la Bombonera.

Bogotá

1774. Levántense temprano y suban a Monserrate por funicular.

1775. Miren bien el Museo del Oro.

1776. Para un sabor internacional, prueben un ajiaco santafereño.

1777. Consiéntanse con un fabuloso desayuno con arepas y chocolate.

1778. Pasen todo un día en la Catedral de Sal de Zipaquirá.

1779. Visiten la zona colonial de La Candelaria.

VENECIA

1780. Invítense a pasear en góndola por el Gran Canal.

1781. Tómense un café en la Plaza San Marcos.

1782. Disfrácense y participen en el Carnaval.

1783. Mézclense entre la multitud de visitantes del Puente Rialto.

SAN FRANCISCO

1784. Escápense y visiten Alcatraz.

1785. Hagan una gira por Sausalito en un día soleado.

1786. Asómbrense en el bosque de las secoyas.

1787. Pasen una fabulosa tarde de compras en Union Square.

1788. Únanse a la gente en el Golden Gate, un domingo por la tarde.

Cartagena

1789. Visiten la Ciudad Vieja en coche.

1790. Coman arroz con coco y pescado frito en el mercado popular.

1791. Diviértanse paseando por el Jardín Botánico.

1792. Si les gustan las fiestas grandes, bailen en el festival de música del Caribe.

1793. Lean a García Márquez mientras toman sol en la playa.

Río de Janeiro

1794. Vean el Carnaval.

1795. Descubran el fútbol brasilero en El Maracaná

1796. Para sentir placer, broncéense en la playa de Copacabana.

1797. Escápense por un día al Corcovado o al Pan de Azúcar.

SIGNOS DE QUE SU RELACIÓN TIENE FUTURO

Ustedes se disfrutan mutuamente.

Planean juntos sus próximas salidas.

Sienten un compromiso mutuo
con la relación.

Sus amigos los consideran una pareja.

Se ven con bastante regularidad.

Pueden ser fieles a ustedes mismos
cuando están juntos.

Les ilusiona poder pasar tiempo juntos.

BIENVENIDOS A NUESTRA MORADA

1798. Muestren su apartamento nuevo
ofreciendo una fiesta de
inauguración.

1799. Pasen un día en una casa flotante.

1800. Después de una gran fiesta, ayuden a
lavar los platos.

1801. Compren un obsequio de inauguración para la casa de un amigo.

1802. Pasen horas interminables diseñando la casa de sus sueños.

1803. Reciban a sus amigos un día de casa abierta en época de Navidad.

1804. Hojeen juntos revistas de decoración.

1805. Cuelguen cuadros juntos y, por variar, enderécenlos.

1806. Compartan las tareas domésticas.

1807. Aprendan juntos a arreglar los electrodomésticos.

1808. Armen una casita de perro diferente a todas (a su perro le encantará).

1809. Disfruten de una comida de restaurante frente al televisor.

1810. Salgan a comprar muebles.

1811. Vayan a comprar flores para adornar su casa, y arreglen juntos los floreros.

1812. Ayúdela a reorganizar los muebles.

1813. Saquen ideas de una Exposición de Hogar.

1814. Planeen juntos una brigada de aseo para su casa, y al final siéntense a contemplar su obra.

1815. Pónganse ropa vieja para pintar su casa.

LA VIDA A TODA VELOCIDAD

1816. Para experimentar emociones, vayan a montar en un *kart*.

1817. Aprendan juntos a usar un monopatín.

1818. Alquilen un carrito de golf y el domingo den un paseo diferente.

1819. Inscríbanse en una carrera de carretillas.

1820. Tomen un curso de conducción de camiones.

1821. Juéguensela y pasen la noche en el casino.

1822. Estudien juntos las señales de tránsito.

1823. Participen en una carrera de embolsados durante un *picnic*.

1824. Sean buenos copilotos, el uno del otro.

1825. Tómense de las manos y griten cuando vayan a toda velocidad en la montaña rusa de un parque de diversiones.

1826. Movilícense por el centro de la ciudad en moto.

1827. No se pierdan la acción en una carrera de fórmula uno.

1828. Disfruten de la velocidad corriendo autos de carrera en su pista de juguete.

1829. Absorban los rayos del sol mientras navegan en un lago.

1830. Persigan a un camión de helados.

1831. Damas (y caballeros), empiecen su diversión con las 500 millas de Indianápolis.

1832. Realicen una ronda nocturna por los bares de la ciudad.

1833. Desafíense mutuamente a una carrera de zancos con resorte.

1834. Corran en una pista atlética.

1835. Prueben una estimulante deslizada en un tobogán gigante.

1836. Vean una carrera de *kayaks*.

1837. Láncense al azul infinito del cielo después de haber recibido juntos un curso de aviación.

1838. Organicen una carrera en bicicleta.

1839. Sujétense duro en un automóvil de carreras.

1840. Tápense los oídos y observen una revista aérea.

1841. El entrenamiento perfecto: pónganse sudadera y zapatos para correr, enciendan el televisor y vean desde el sofá la Maratón de San Silvestre.

1842. Salgan de la ciudad para ver una carrera de motocicletas a campo traviesa.

1843. Choquen carros en un parque de diversiones (el que pierda tiene la oportunidad de desquitarse).

¿QUIÉN DIJO QUE TRES SON UNA MULTITUD?

1844. Visiten juntos una sala de maternidad para conocer al bebé de una amiga.

1845. Lleven a su perro cuando salgan de *picnic*.

1846. Pasen un día en el parque tomando fotografías de su mascota.

1847. Elijan una buena película e inviten a cine a sus padres.

1848. Lleven su gato al veterinario.

1849. Diviértanse una noche cuidando juntos a un niño.

1850. Vistan a su perro con un disfraz para una salida especial.

1851. Inviten a un amigo soltero a salir una noche.

1852. Sean buenos tíos.

1853. Adopten una mascota y bautícenla con el nombre de su pareja.

1854. Cuiden juntos una mascota.

1855. Lleven a sus hermanos menores a un matiné.

1856. Jueguen *frisby* con su perro en el parque.

EXPRESEN SUS SENTIMIENTOS

1857. Tengan un apodo el uno para el otro.

1858. Sean creativos y compongan su propia canción.

1859. Traten de decir trabalenguas.

1860. Hablen con una dicción extraña durante toda una salida.

1861. Den gracias por los alimentos que van a comer.

1862. Desafíense mutuamente en juegos de palabras.

1863. Ejerzan sus derechos constitucionales y voten.

1864. Compartan el periódico.

1865. Vístanse como su héroe y heroína favoritos para ir a una fiesta de disfraces.

1866. Tengan una cita por *fax*.

1867. Diviértanse con un juego de *Scrabble*.

1868. Escríbanle una carta al Niño Dios.

1869. Cuéntele a su pareja la película que no terminó de ver.

1870. Pasen la mañana de un sábado en un hogar para niños desamparados.

1871. Pongan una nota en una botella y échenla al mar.

1872. Reciban juntos clases de escultura.

1873. Dibujen en la arena.

1874. Aprendan francés, el idioma del amor.

1875. Ofrézcanse como voluntarios para atender juntos una noche la línea telefónica para personas en crisis.

1876. Hagan una broma telefónica a un amigo.

1877. Escriban una carta al editor del periódico para decirle lo que piensan.

1878. Publiquen un libro (nosotros lo hicimos).

LO QUE NO SE DEBE HACER
EN LA PRIMERA CITA

Hablar sólo de uno mismo.

Llegar tarde.

Comparar esta salida con otras.

Flirtear con otras personas.

Relatar la historia de su vida con íntimos
detalles.

Hacer preguntas muy personales.

Vestirse en forma poco apropiada.

Quejarse de todo.

Fanfarronear.

Ordenar comida que sea difícil de comer.

Ir a un sitio donde no se sienta a gusto.

Prolongar demasiado la cita.

Ser "demasiado complaciente".

1879. Registren los derechos de autor
(también hicimos eso).

1880. Reúnanse para una rápida taza de
café expreso antes del trabajo, en una
mañana fría.

PEQUEÑAS COSAS QUE SIGNIFICAN MUCHO

1881. Salir a celebrar su nuevo empleo.

1882. Compartir una frazada una noche fría.

1883. Cuidar a su pareja cuando una enfermedad ataque.

1884. Escribir tarjetas de Navidad juntos.

1885. Aceptar la derrota cuando sea necesario.

1886. Empacarse siempre los regalos en muchas cajas, unas dentro de otras.

1887. Ser buena persona y frotar un linimento sobre los adoloridos músculos de su pareja.

1888. Visitar juntos un cementerio para acompañar y confortar.

1889. Disfrutar tanto el estar juntos, que no tengan necesidad de hablar.

1890. Tratar de quitarse mutuamente el hipo.

1891. Comprar galletitas en un semáforo y compartirlas.

1892. En momentos difíciles, hacer todo lo posible para darse ánimo mutuamente.

1893. Visitar a un amigo hospitalizado.

1894. Sorprenderla un día y recogerla en el trabajo.

1895. Convertir el cumpleaños de su pareja en una ocasión festiva.

1896. Cuando llegue la temporada de gripa, prepararse mutuamente los remedios caseros.

1897. Ponerse de acuerdo para llevar a su perro al veterinario.

1898. Desearse suerte mutuamente, antes de una prueba importante.

1899. Sorprenderse mutuamente con una botella de vino.

1900. Ofrecer una fiesta de consolación para un amigo que acaba de romper con su media naranja.

1901. Entregar juntos los regalos de fin de año a sus amigos.

1902. Hacer una visita rápida a su pareja en la oficina, y concertar una cita imprevista.

1903. Tener la infinita paciencia de enseñarle a su pareja a usar el computador.

COMIDAS Y BEBIDAS

1904. Curioseen en una tienda de quesos y prueben nuevos sabores.

1905. ¿Qué tal un buen vodka a la pimienta en un restaurante ruso?

1906. Con dos jugosos bistecs en mano, hagan un asado al aire libre.

1907. Disfruten el aroma de una pastelería mientras ambos escogen el postre para la cena.

1908. Paseen por un viñedo.

1909. Compren en una tienda de licores los

ingredientes para crear un cóctel exótico.

1910. Reciban juntos una clase de apreciación y catación de vino.

1911. Para una noche diferente, ofrezcan una fiesta de *fondue* para sus amigos.

1912. Cocinen toda la comida en la chimenea.

1913. Imagínense a ambos en una isla saboreando una piña colada.

1914. Permítanse el lujo de saborear un helado con crema, frutas, almíbar y nueces.

1915. Preparen un plato flameado sin incendiar la casa.

1916. Vayan de compras a una tienda de comida *gourmet*.

1917. Vayan a una tienda japonesa y preparen *sushi* en casa.

1918. Vayan a la panadería y compartan un pan recién salido del horno.

1919. Preparen vino caliente.

REGALOS QUE IMPRESIONAN

Una foto de ambos en un portarretratos
de plata.

Un edredón antiguo para abrigarse
en las noches frías.

Chocolates finos.

Orquídeas.

Perlas.

Suéteres y bufandas de cachemir.

Joyas antiguas.

Mancornas de oro.

Un relicario con su foto.

1920. Horneen juntos una torta para
alguien especial.

1921. Visiten una fábrica de cerveza.

1922. Salgan tarde en la noche para
satisfacer un antojo.

ESPARCIMIENTO SIGNIFICA DIVERSIÓN Y AVENTURA

1923. Experimenten la emoción de un paseo en planeador.

1924. Prueben a jugar bolos en el prado.

1925. Afinen su pericia en una pista de conducción.

1926. Jueguen *croquet*.

1927. Desháganse de sus zapatos para jugar vóleibol en la arena.

1928. Zarpen en un velero.

1929. Escalen una montaña.

1930. Practiquen *windsurf*.

1931. Para una noche unisex, entrenen juntos en el gimnasio.

1932. Tómense una tarde de domingo para pasear en bicicleta.

1933. Disfruten de la vista del arco iris después de una tormenta.

1934. Patinen todo el día en sendas patinetas.

1935. En el campo, aventúrense por un camino desconocido.

CON MIRAS A UNA RELACIÓN PERFECTA

1936. Hagan una prueba de compatibilidad.

1937. Comparen las listas de las características que les gustaría mejorar.

1938. Desháganse de sus viejas libretitas de teléfonos.

1939. Compartan sus arranques de malhumor.

1940. Celebren los años bisiestos el 29 de febrero.

1941. Compartan su fe en el futuro.

1942. Bésense y hagan las paces después de una pelea.

1943. Tengan una lluvia de ideas sobre cómo mejorar su relación.

1944. Sean verdaderos amigos el uno del otro.

1945. Jueguen al "psiquiatra" para ayudarse a superar un problema.

1946. Revelen cualquier mentira blanca que hubieran dicho.

1947. Mejórense ustedes mismos en un seminario de autoestima.

1948. Celebren sus salidas número 25, 50, etc.

1949. Recen uno por el otro.

1950. Admitan sus propias peculiaridades (pero no muchas al mismo tiempo).

1951. Compartan mentas para el aliento después de comer *pizza*.

1952. Traten de hacer juntos casi todo.

1953. Cumplan siempre su palabra cuando prometan algo a su pareja.

VAYAN POR LA CALLE ANCHA

1954. Que un conductor los lleve a dar vueltas en una limusina.

1955. Celebren juntos las fiestas religiosas.

1956. Compartan el amor por la naturaleza.

1957. Sean optimistas.

1958. Respeten mutuamente sus creencias religiosas.

1959. Lleve a su pareja al aeropuerto para tener una tierna despedida.

1960. Asistan juntos a una clase de preparación espiritual.

1961. Hagan ángeles de pan.

1962. Vivan la experiencia de un paseo en *jeep* por un camino destapado.

1963. Cuando esté lloviendo, vean el servicio religioso en televisión.

1964. Visiten una comunidad indígena y aprendan sobre sus tradiciones.

1965. Participen en el coro de la iglesia.

1966. Reciban juntos la comunión.

1967. Asistan al bautizo del bebé de un amigo.

1968. Hagan un alto en su vida para ayunar juntos.

1969. Curioseen en una librería de temas espirituales.

1970. Visiten un pesebre para ayudarse a sentir el verdadero significado de la Navidad.

1971. Disfruten de un *picnic* en la azotea.

1972. Aprendan a tocar guitarra y canten baladas juntos.

1973. Asistan a un servicio en la iglesia y luego hagan un almuerzo especial.

1974. Visiten las iglesias históricas de su ciudad.

NUESTRAS FAVORITAS

1975. Leer juntos la Biblia.

1976. Disfrutar de un almuerzo típico.

1977. Compartir un sillón para ver una película de terror.

1978. Ponernos los cascos protectores para lanzarnos a la guerra en los carritos chocones.

1979. Celebrar con una fiesta el grado del perro en la escuela de obediencia.

1980. Compartir las mismas supersticiones.

1981. Salir a pasear los domingos.

1982. Dar una vuelta en auto una noche de diciembre, para disfrutar de la iluminación navideña.

1983. Celebrar el Día de la Mitad (miércoles).

1984. Ir al mejor *delicatessen* de la ciudad para ordenar el emparedado más grande que tengan, y compartirlo.

1985. Iniciar la celebración de Semana Santa coloreando los huevos de Pascua.

1986. Asistir a una convención de ositos de felpa.

1987. Atrevernos a probar algo que sea absoluta, positiva y completamente nuevo.

1988. Mordisquear una barra de chocolate hasta acabarla.

1989. Sostener una batalla con pistolas de agua.